Respostas dos exercícios do Livro do Aluno e do Caderno de Testes

CIP-Brasil, Catalogação-na-Fonte
Câmara Brasileira do Livro, SP

L697f

Lima, Emma Eberlein O. F.
Falando... lendo... escrevendo: português: um curso para estrangeiros/Emma E. O. F. Lima, Samira A. Iunes. — São Paulo: EPU, 1981.

1. Português — Estudo e ensino — Estudantes estrangeiros I. Iunes, Samira A. II. Título.

81-0919 CDD—469.824

Índices para catálogo sistemático:

1. Português para estrangeiros 469.824

Emma Eberlein O. F. Lima
Samira A. Iunes

FALANDO...
LENDO...
ESCREVENDO...

Um Curso Para Estrangeiros

Respostas dos exercícios do Livro do Aluno e do Caderno de Testes

E.P.U.
Editora Pedagógica e Universitária Ltda.
São Paulo

Sumário

Respostas dos exercícios das unidades 1 a 18 do livro do aluno

Respostas dos testes do caderno de testes

Respostas dos exercícios

Unidades 1 a 18 do livro do aluno

Unidade 1

Diálogo: "Como vai?"

(Páginas 2 e 3)

A. O senhor é engenheiro? Sou, sim.

1. é / Sou, sim.
2. é / Sou, sim.
3. é / Sou, sim.
4. é / Sou, sim.
5. é / Sou, sim.
7. é / Sou, sim.
6. é / Sou, sim.
8. é / Sou, sim.

B. O senhor é engenheiro? Não, não sou.

1. é / Não, não sou.
2. é / Não, não sou.
3. é / Não, não sou.
4. é / Não, não sou.
5. é / Não, não sou.
6. é / Não, não sou.
7. é / Não, não sou.
8. é / Não, não sou.

C. De onde o senhor é? Sou de Belo Horizonte.
Sou do Japão.
Sou da Itália.

1. Sou de São Paulo.
2. Sou de Paris.
3. Sou de Londres.
4. Sou de Nova York.
5. Sou de Berlim.
6. Sou de Tóquio.
7. Sou do Japão.
8. Sou do Brasil.
9. Sou da Itália.
10. Sou do México.
11. Sou da França.
12. Sou do Rio de Janeiro.
13. Sou de Roma.
14. Sou de Santos.
15. Sou do Canadá.

D. Onde o senhor mora? Moro em Belo Horizonte.
Moro no Rio de Janeiro.
Moro na Avenida Paulista.

1. Moro em Copacabana.
2. Moro em São Paulo.
3. Moro na Itália.
4. Moro na Europa.
5. Moro na Rua Augusta.
6. Moro no Chile.
7. Moro no Brasil.
8. Moro no México.
9. Moro em Munique.
10. Moro em Washington.

Diálogo: "Onde?"

(Página 4)

A. Onde estão <u>os</u> livros <u>dos</u> médicos? Estão <u>no</u> armário do consultório.

1. Onde está a secretária?
   Está na sala do presidente.
2. Onde está o engenheiro?
   Está no escritório do Rio de Janeiro.
3. Onde está o professor de inglês?
   Está no escritório do engenheiro.
4. Onde está o dinheiro da fiança?
   Está no cofre do banco.
5. Onde está o cliente?
   Está no consultório do médico.
6. Onde está o dinheiro?
   Está na carteira do professor.
7. Onde está o engenheiro da França?
   Está no hotel da avenida.
8. Onde está o paletó do médico?
   Está no armário do consultório.
9. Onde estão os clientes?
   Estão no escritório de Paris.
10. Onde estão os óculos do diretor?
    Estão no bolso do paletó.
11. Onde estão as chaves do carro?
    Estão no armário do diretor.
12. Onde estão os planos das fábricas?
    Estão no escritório de Nova York.
13. Onde estão as cartas dos estudantes?
    Estão no hotel da avenida.
14. Onde estão as chaves das portas?
    Estão nos armários das secretárias.
15. Onde estão os documentos dos engenheiros?
    Estão nas gavetas das mesas.

Exercícios

(Páginas 5 a 7)

A. Complete com ser:

1. somos / são
2. são
3. são
4. sou / é
5. são / somos
6. são
7. é
8. é
9. é / sou
10. é

B. Complete:

1. mora / Moro
2. moram
3. moramos
4. mora
5. moro
6. moram
7. fala
8. fala
9. entramos
10. entra
11. entro
12. entram
13. entra / fala
14. moramos / falamos
15. moram / falam

C. Complete com estar:

1. estou
2. está
3. estão
4. está
5. está
6. estão
7. está
8. está
9. estamos / estão
10. está / estão
11. estou
12. estão
13. estamos
14. estão
15. está

D. Onde está o diretor? Está na fábrica.

1. Onde está o dinheiro?
2. Onde está a secretária?
3. Onde está você?
4. Onde estão vocês?
5. Onde está o médico?

E. O dinheiro está no banco? Não, não está. Está na firma.

1. O engenheiro está em Paris?
2. Nós estamos no escritório?
3. O médico está na praia?
4. Os engenheiros estão na fábrica?
5. A chave está na porta?

Texto narrativo: "No aeroporto"

(Páginas 8 e 9)

A. A cada imagem corresponde uma frase. Qual é?

1. Nós estamos na sala de televisão.
2. Eles moram na praia.
3. O filme começa às 8 horas.
4. Os documentos estão na bolsa.
5. Adivinhe!
6. Ele entra no escritório às 8 horas.

B. Complete o diálogo. Use <u>você</u>.

Tomás: — Bom dia!

Luís: — Bom dia!

Tomás: — Como vai você?

Luís: — Bem obrigado. E você?

Tomás: — Vou bem, obrigado.

Luís: — De onde você é?

Tomás: — Sou de São Paulo. E você?

Luís: — Sou de Porto Alegre.

Tomás: — Onde você mora?

Luís: — Moro na Rua Augusta. E você?

Tomás: — Moro na Avenida Paulista.

Luís: — É bonito lá.

Tomás: — Você é engenheiro?

Luís: — Não, não sou. Sou médico. E você?

Tomás: — Sou engenheiro.

Luís: — O novo engenheiro da firma?

Tomás: — Sou, sim.

Luís: — Boa sorte!

Unidade 2

Diálogo: "A cidade"

(Páginas 11 a 16)

A. Complete com um, uma:

1. uma / um
2. um / uma
3. um / uma
4. um
5. um / uma

B. Para onde vamos? Vamos para o centro.

1. Vamos para Brasília.
2. Vamos para o aeroporto.
3. Vamos para a Estação Rodoviária.
4. Ela vai para o ponto de ônibus.
5. Ele vai para a França.
6. Vou para o escritório.
7. Eles vão para a fábrica.
8. Você vai para Belo Horizonte.
9. Vamos para o Canadá.
10. Vamos para Copacabana.
11. Eles vão para o consultório.
12. Eles vão para São Paulo.
13. Ele vai para o hotel.
14. Vou para o Correio.
15. Vamos para a Prefeitura.

C. Complete com ir:

1. vai / vou
2. vão / vamos
3. vai / vamos

D. Eu vou de ônibus para a cidade.

1. vou de táxi
2. vai de avião
3. vamos de carro
4. vai de trem
5. vão de avião
6. vamos a pé
7. vai de ônibus
8. vou de táxi
9. vão a pé
10. vai de carro
11. vai de táxi
12. vai de ônibus
13. vou de trem
14. vai de avião
15. vão de navio

E. Há um ponto de ônibus nesta esquina.

1. Há um médico neste consultório.
2. Há um aeroporto nesta cidade.
3. Há um posto de gasolina nesta esquina.
4. Há quinze dólares nesta gaveta.
5. Há uma farmácia nesta calçada.

6. Há muitos turistas nestas montanhas.
7. Há muitos médicos neste consultório.

F. Vamos a pé. Gosto de andar.

1. de	6. gosto de	11. gosto de
2. de	7. gostam de	12. gostamos de
3. de	8. gosta de	13. gostam de
4. gostam de	9. gosta de	14. gosta de
5. gosta de	10. gosta de	15. gostam de

G. Estes prédios são antigos. Gosto deles.
Estas casas são modernas. Gosto delas.

1. Gosto delas.	5. Gosto dela.	8. Gosto dela.
2. Gosto dela.	6. Gosto dele.	9. Gosto dela.
3. Gosto dele.	7. Gosto deles.	10. Gosto deles.
4. Gosto delas.		

H. Gosto do aeroporto de Paris.
Gosto da parte velha da cidade.

1. da	6. do	11. gostamos do / da
2. da / do	7. das	12. gostam / da
3. do / do	8. da	13. gosta / das
4. do	9. gosta da	14. gosto / dos
5. do / do	10. gostam dos	15. gostam / do

I. O aeroporto desta cidade é antigo.

1. desta	5. desta	8. desta
2. desta	6. deste	9. desta
3. deste	7. deste	10. deste
4. desta		

J. Complete com ter:

1. tenho	5. têm	9. tem	13. tem
2. tem	6. tem	10. temos	14. tenho / Tenho
3. tem	7. tenho	11. têm	15. temos
4. tem	8. têm	12. tem	16. tem

L. Você tem dinheiro?
Não, não tenho dinheiro. Tenho cheque.

1. Não, ele não tem dinheiro. Ele tem cartão de crédito.
2. Não, eles não têm sorte. Eles têm azar.
3. Não, não temos dinheiro no banco. Temos dinheiro na firma.
4. Não, não temos a chave do carro. Temos a chave da casa.
5. Não, ele não tem casa na montanha. Ele tem casa na praia.
6. Não, eles não têm documentos. Eles têm livros.
7. Não, ela não tem prédios antigos. Ela tem prédios modernos
8. Não, ela não tem trens. Ela tem ônibus.

M. A cada imagem corresponde uma frase. Qual é?

1. Ele não tem dinheiro.
2. Eles têm muita sorte.
3. Eu tenho azar.
4. Nós temos muitos filhos.
5. Ela tem 15 anos.
6. Você não tem tempo hoje.

Diálogo: "Que azar!"

(Página 17)

A. Complete com meu, minha, meus, minhas:

1. Meu / minha
2. Minha
3. Meus
4. Minha
5. Minhas
6. Meus

Diálogo: "No telefone"

(Páginas 18 a 20)

A. Complete:

1. atendo
2. atende
3. atendem
4. atendemos
5. come
6. comem
7. bebemos
8. bebe
9. vende
10. vendo
11. aprende
12. aprendem
13. aprendemos
14. escrevo
15. escreve

B. Complete:

1. mora / trabalha
2. moramos / trabalhamos
3. moram / trabalham
4. moro / trabalho
5. come / bebe
6. comemos / bebemos
7. come / bebe
8. compramos / vendemos
9. atendem / mostram
10. ando / como
11. anda / come
12. trabalham / andam
13. bebe / anda
14. andamos / mostramos
15. compra / vende

C. Ele está atendendo um cliente agora.

1. estou atendendo
2. está atendendo
3. estamos comendo / estamos bebendo
4. está mostrando
5. está aprendendo
6. estão trabalhando
7. estão escrevendo
8. estamos atendendo
9. estou aprendendo
10. está trabalhando

D. Passe C para o negativo:

1. não estou atendendo
2. não está atendendo
3. não estamos comendo / não estamos bebendo
4. não está mostrando
5. não está aprendendo
6. não estão trabalhando
7. não estão escrevendo
8. não estamos atendendo
9. não estou aprendendo
10. não está trabalhando

E. O que eles estão fazendo agora? Use os verbos mostrar, escrever, andar, trabalhar, comprar, vender e conversar:

Na praça
1. está escrevendo
2. estão comendo
3. está trabalhando
4. está vendendo
5. está mostrando
6. está andando
7. está comprando

Texto narrativo: "Uma cidade pequena"

(Páginas 21 e 22)

A. Complete com o vocabulário da leitura:

1. interior
2. praça / centro
3. bancos
4. moços / as
5. noite / encontrar
6. parte nova / modernas
7. muito da / calma

B. Coloque em ordem:

1. Vamos de ônibus para o centro?
2. Não, vamos a pé. Gosto de andar.
3. Eu também. Há muitos prédios antigos no centro?
4. Há, sim. Mas também há prédios novos. Você tem dinheiro?
5. Não, não tenho. Onde é o banco?
6. É ali na esquina, na outra calçada.

C. A cada imagem correspondem duas orações. Quais são?

1. Brasília é uma cidade moderna.
1. O presidente mora aqui.
2. A vida aqui é muito calma.
2. Nesta praça há uma farmácia.
3. Estes prédios são muito altos.
3. A porta do restaurante está aberta.
4. Que azar! Desculpe!
4. Ai! Meu pé!
5. Este ônibus vai para o centro.
5. O ponto de ônibus é ali na esquina.

Unidade 3

Diálogo: "No restaurante"

(Páginas 24 a 27)

A. Resposta:

1. Eles vão almoçar porque estão com fome.
2. Há uma mesa livre no canto.
3. Uma salada de legumes e depois carne com batatas.
   Porque estão com sede.
4. Porque está quente.
5. Sim.
6. (Resposta pessoal.)
*7. Não, não está incluída.

B. Complete com poder:

1. posso
2. podemos
3. podemos
4. pode
5. podem
6. podemos
7. podem
8. podem
9. pode
10. pode

C. Você pode preparar o jantar? Sim, posso.

1. podem
2. podemos ou podem
3. podem
4. pode
5. Posso
6. Pode
7. Pode

E. O que você vai tomar? Vou tomar uma cerveja.

1. Vou comer bife com batatas.
2. Vamos tomar uma cerveja.
3. Vai pedir um cafezinho.
4. Vamos tomar um cafezinho.
5. Vou oferecer um sorvete ou Você vai oferecer um sorvete.
6. Vamos tomar uma cerveja e um refrigerante.

F. Você vai tomar café? Sim, vou tomar café.

1. Você vai jantar às sete horas?
2. Você vai tomar cerveja?
3. Vocês vão vender esta casa?
4. Ela vai ficar em casa?
5. Posso falar com Mariana?
6. Ele vai tomar um aperitivo?

G. Eu / comprar / casa. Eu vou comprar uma casa.

1. Ele vai vender o carro.
2. Os convidados vão tomar um aperitivo.
3. Nós vamos pedir um sorvete.
4. O senhor vai tomar café com leite.
5. Nós vamos tomar o café da manhã.
6. Os convidados vão jantar às oito horas.

H. Complete com ser ou estar:

1. está
2. é
3. é
4. é
5. é
6. somos
7. estamos
8. é
9. é
10. é
11. estão
12. estou
13. estão / estão
14. estão / são
15. é / sou
16. é / é

I. Complete a pergunta e a resposta com ser ou estar:

1. é
2. é / sou
3. é / é
4. são / somos
5. estão / estão
6. estão / estão
7. está / estou
8. é / está
9. somos / estamos
10. está / está

J. Onde está Mariana? Ela está em casa.

1. Onde estão José e Luís?
2. Onde eles estão?
3. Vocês são estrangeiros?
4. Vocês estão com sede?
5. Você é médico?
6. Vocês estão com pressa?
7. Onde está o carro?
8. Onde está Mariana?

L. Como vamos para o centro? Vamos de ônibus.

1. Como vamos para Paris?
2. Como ele vai ao centro?
3. Como você vai ao centro?
4. Como você vai ao Rio de Janeiro?
5. Como eu vou para a Europa?
6. Como vamos ao teatro?
7. Como eles vão ao teatro?
8. Como vamos para Belo Horizonte?
9. Como ela vai ao escritório?
10. Como elas vão para o escritório?

M. Ele está com fome. O que ele vai fazer? Ele vai almoçar.

1. O que ele vai fazer? Ele vai tomar uma cerveja.
2. O que ele vai fazer? Ele vai dormir.
3. O que ele vai fazer? Ele vai tomar um sorvete.
4. O que ele vai fazer? Ele vai pôr um pulover.
5. O que ele vai fazer? Ele vai comer.

Diálogo: "Um rapaz cabeludo"

(Página 28)

A. Resposta com depois de / do / da:

1. Depois do almoço.
2. Depois do café da manhã.
3. Depois do jantar.
4. Depois do meio-dia.
5. Depois da aula.
6. Depois de conhecer São Paulo.
7. Depois de falar com ele.

B. Responda com antes de / do / da:

1. Antes do almoço.
2. Antes do meio-dia.
3. Antes do jantar.
4. Antes do almoço.
5. Antes do café da manhã.
6. Antes de sair do escritório.
7. Antes do cafezinho.
8. Antes da reunião.

Diálogo: "Um baile a fantasia"

(Página 30)

A. Passe para o plural as palavras grifadas:

1. As moças estão em São Paulo.
2. Os médicos estão conversando com os engenheiros.
3. Meus amigos estão aprendendo português.
4. As moças vão estudar inglês.
5. Minhas amigas vão de táxi para casa.
6. Os alunos não falam português.
7. As sopas estão frias.
8. As batatas estão quentes.
9. Estes restaurantes não são caros.
10. Os jornalistas trabalham à noite.

B. Passe para o plural as palavras grifadas:

1. Estes homens são bons.
2. As garagens dos prédios não são grandes.
3. Estes jardins são bonitos.
4. Os homens estão nos jardins.
5. Os apartamentos são bons, mas as garagens são pequenas.

C. Passe para o plural as palavras grifadas:

1. Estes hotéis são confortáveis.
2. Nós compramos os jornais de manhã.
3. Vamos mostrar estes papéis para nossos amigos espanhóis.
4. Não gostamos de cidades industriais.

D. Passe para o plural as palavras grifadas:

1. Meus irmãos vão a pé para as estações.
2. Nós compramos pães na padaria.
3. Estes aviões vão partir às 8 horas.
4. Minhas mãos estão frias.
5. Gostamos destes aeroportos alemães.

Texto narrativo: "Um almoço bem brasileiro"
(Página 31)

A. Responda:

1. O Sr. e a Sra. Clayton vão almoçar em casa da família Andrade.
2. Porque a "caipirinha" é um aperitivo bem brasileiro.
3. (Resposta pessoal).
4. Como entrada, Mariana vai oferecer uma sopa de milho verde. O prato principal é frango assado com farofa. Como sobremesa ela vai oferecer doces e frutas.
5. Ele vai abrir a portar e receber seus amigos.

B. Risque o que é diferente:

1. almoçar, jantar, oferecer, tomar, comer.
2. baile, navio, avião, carro, trem.
3. o aperitivo, a cerveja, a água, o médico, a caipirinha.
4. porta, quente, janela, sala, canto.
5. o bife, a comida, os legumes, a gorjeta, os pães.
6. talvez, banco, restaurante, escritório, aeroporto.
7. a pé, à noite, de táxi, de ônibus, de trem.
8. antes de, sempre, de manhã, grande, mais tarde.
9. interior, cabeludo, frio, bonito, alto.
10. com frio, com amigos, com sono, com sede, com pressa.

C. Prepare um cardápio bem brasileiro com algumas das palavras abaixo:

Aperitivo	Entrada	Prato principal
— caipirinha	— salada de tomate	— arroz/feijão/bife/batata frita/ovo frito
	— canja	— feijoada/couve/arroz/laranja

Sobremesa	Bebida
goiabada com queijo laranja	cerveja/guaraná

Unidade 4

Diálogo: "Procurando um apartamento"

(Páginas 33 a 37)

A. Ontem comprei um jornal.

1. comprei	6. encontrou	11. trabalharam
2. comprou	7. mostrou	12. gostou
3. compramos	8. tomamos	13. almoçou
4. compraram	9. andei	14. jantou
5. preparou	10. falaram	15. visitei

B. Ontem, eu vendi minha casa.

1. vendi	6. comeu	11. comeu
2. vendeu	7. beberam	12. ofereceram
3. vendeu	8. escreveu	13. conhecemos
4. vendemos	9. ofereci	14. aprenderam
5. vendeu	10. atendeu	15. aprenderam

C. Ontem vendi minha casa e comprei um apartamento.

1. comi / bebi	6. trabalhamos / visitamos
2. encontrou / falou	7. escreveram
3. almoçaram / jantaram	8. recebi
4. conhecemos / gostamos	9. vendeu
5. recebeu	10. tomaram

D. Eu quero sair, mas ele quer ficar.

1. queremos / quer	5. quer / quer
2. querem / querem	6. querem / querem
3. quero / quero	7. querem / quero
4. querem / quero	

E. Eu prefiro morar no centro.

1. preferem	6. quer / prefiro
2. prefere	7. quer / prefere
3. preferimos	8. querem / prefiro
4. prefere	9. quero / prefere
5. prefere	10. quero / prefere

F. 1. Ele está longe da padaria.
2. O carro está perto do posto de gasolina.
3. Campinas está perto e Manaus está longe.
4. As cadeiras estão longe das mesas.
5. O rapaz está perto do carro.

Diálogo: "Um lugar agradável"

(Páginas 38 e 39)

A. Em frente do prédio há uma praça.

1. da
2. frente do
3. Em frente dos
4. Em frente das
5. Em frente das
6. Em frente do

B. Meu carro está atrás da casa.

1. do
2. atrás do
3. atrás da
4. atrás de, atrás da
5. atrás de, atrás do

C. Este restaurante fica ao lado do cinema.

1. do
2. lado da
3. ao lado da
4. ao lado do
5. ao lado da
6. ao lado do

D. Complete com: na frente de, atrás de, ao lado de, perto de, longe de:

1. Estão perto do livro
2. atrás da Prefeitura
3. em frente da estação
4. longe de São Paulo
5. ao lado do super-mercado

E. Transforme:

1. num hotel
2. numa escola
3. num avião
4. numas casas
5. nuns livros
6. numas caixas
7. num banco
8. numa loja

Diálogo: "Onde estão eles?"

(Páginas 40 a 42)

A. Complete com meu, minhas, meus, minhas, nosso, nossa, nossos, nossas:

1. meu
2. nosso
3. nossos
4. nossos
5. nossa
6. minha / meu
7. minha
8. meus
9. meu
10. minhas

B. Complete com seu, sua, seus, suas:

1. seu
2. sua
3. seu
4. seu
5. seus
6. sua
7. suas
8. sua
9. seu
10. seus

C. Complete com <u>dele</u>, <u>dela</u>, <u>deles</u>, <u>delas</u>:

1. dela
2. dela
3. dele
4. dele
5. dele / dela
6. delas
7. deles / dela
8. deles / delas
9. dela / dele
10. dela / dele

D. Complete com <u>meu</u>, <u>minha</u>, etc.

meus — nossas — nosso — dele — dela — Nossa

E. João, onde está <u>seu</u> irmão? <u>Meu</u> irmão está em casa.

1. sua / Minha
2. dele / dele
3. nossos
4. dele / dela
5. deles
6. sua / minha / meu
7. sua / seus
8. dele
9. dele
10. dela
11. dele / nosso
12. dela / dele
13. deles

F. Complete. Use <u>precisar</u>:

1. de dinheiro
2. comprar leite e queijo
3. comprar pão
4. preciso pôr gasolina no carro
5. precisa cortar o cabelo
6. precisa pegar o ônibus
7. preciso falar com ele
8. precisamos saber notícias dela
9. porque preciso de dinheiro
10. precisam chegar depressa

Texto narrativo: "Onde morar?"

(Página 43)

A. Responda:

1. Porque a vida aí é muito agitada e os apartamentos estão cada vez mais caros.
2. Num bairro, longe do centro.
3. Eles são agora bairros comerciais.
4. (Resposta pessoal.)

   Sugestão:

   — Prefiro morar num bairro residencial, mais distante, porque a vida aí é mais calma.

   — Prefiro morar no centro porque estou mais perto do meu trabalho.

B. Reescreva o anúncio por extenso:

Aluga-se Pinheiros

2 dormitórios com garagem e telefone.

Face norte, ensolarado.

Rua tranqüila. Ótimo living, sala de jantar, dois grandes dormitórios com armários embutidos, dois banheiros, lavabo, copa-cozinha, área de serviço e garagem. Chave com o zelador.

Exercícios

(Página 44)

C. Responda:

1. Uma família numerosa porque ele é grande.
2. Na parte social há um vestíbulo, um living com terraço e uma sala de jantar ou escritório, um lavabo.
3. Uma área de serviço é o lugar onde se lava e se passa roupa e onde guardamos o material de limpeza.
4. Sugestão:
   — Gosto, porque ele é confortável.

Unidade 5

Diálogo: "No jornaleiro"

(Páginas 46 a 51)

A. No domingo, abro a banca mais tarde.

1. abre; 2. abre; 3. abrem; 4. parte; 5. partem; 6. assisto; 7. assiste; 8. decidimos; 9. decidem; 10. divide.

B. Ontem, abri a banca mais tarde.

1. abri; 2. abrimos; 3. abriu; 4. partiu; 5. partiram; 6. assistiu; 7. assisti; 8. decidiram; 9. dividiu; 10. dividiram; 11. preferiu; 12. preferi.

C. Complete:

1. discutimos; 2. discutindo; 3. dividir; 4. dividir; 5. prefere; 6. prefere; 7. telefonou; 8. esqueço; 9. mudar; 10. recebe; 11. encontrou; 12. viveram / vivendo.

D. Complete com o presente contínuo:

1. estão
2. está partindo
3. estou assistindo
4. estão discutindo
5. estamos insistindo
6. está vivendo
7. estão trocando
8. estou aprendendo
9. está mostrando
10. está incluindo

E. O ônibus passa por aqui?

1. por; 2. por; 3. por; 4. pelo; 5. pela; 6. pelo; 7. pelas; 8. pelas; 9. pelos; 10. por.

F. Escreva por extenso:

2 - dois (ou duas)
8 - oito
12 - doze
16 - dezesseis
19 - dezenove
20 - vinte
27 - vinte e sete
56 - cinqüenta e seis ou cincoenta e seis
69 - sessenta e nove
81 - oitenta e um ou oitenta e uma
114 - cento e quatorze ou cento e catorze
500 - quinhentos (quinhentas)
573 - quinhentos e setenta e três
600 - seiscentos (seiscentas)

644 - seiscentos e quarenta e quatro
798 - setecentos e noventa e oito
800 - oitocentos (oitocentas)
811 - oitocentos e onze
913 - novecentos e treze
1020 - mil e vinte
1980 - mil novecentos e oitenta
2217 - dois mil duzentos e dezessete (duas mil duzentas e dezessete)
5318 - cinco mil trezentos e dezoito
8111 - oito mil cento e onze

G. Complete com ser no pretérito perfeito:

1. foi; 2. fui; 3. foi; 4. fomos; 5. foi; 6. foram; 7. fui.

H. Complete com estar no pretérito perfeito:

1. estive; 2. estivemos; 3. estiveram; 4. esteve; 5. esteve; 6. estive.

I. Complete com ter no pretérito perfeito:

1. teve; 2. tivemos; 3. tiveram; 4. tiveram; 5. teve; 6. tive.

J. Complete com ir no pretérito perfeito:

1. fomos; 2. foram; 3. foi; 4. fui; 5. foi; 6. foi.

L. Complete:

terça-feira / anteontem / quinta-feira / sexta-feira / sábado / domingo.

Na estação

(Páginas 52 a 55)

A. Que horas são?

1. São cinco e cinco
2. São cinco e quinze.
3. São cinco e vinte.
4. São quinze para as seis.
5. São vinte e cinco para as seis.
6. São seis em ponto.
7. São dez para as seis.
8. É uma e dez.
9. É meio-dia e quinze.
10. É meia-noite e quinze.

B. A que horas?

1. Janto às sete horas.
2. Vou ao cinema às quinze para as oito.

3. Ele vai à escola às duas e quinze.
4. Eles vão à praça às sete e meia.
5. Ele abre o consultório às dez para as três.
6. Nós almoçamos à uma.
7. O avião vai partir às vinte e cinco para as seis.
8. O baile vai começar às onze e meia.
9. Ele foi para casa às quinze para as duas.
10. Encontrei José às quatro e quinze.
11. Vamos ao banco às dez e meia.
12. Vamos dormir às dez horas.
13. Cheguei ontem à meia-noite.
14. Quero almoçar ao meio-dia e meia.
15. Ele vai telefonar para nós às vinte para as sete.

C. A que horas ele chegou? Ele chegou às 7 horas.

1. A que horas ele partiu?
2. A que horas vocês chegaram?
3. A que horas o baile vai começar?
4. A que horas vou chegar a Londres?
5. A que horas vamos chegar / vão chegar em Viena?
6. A que horas ele prefere partir?
7. A que horas estes clientes chegaram?
8. A que horas você prefere sair?
9. A que horas o diretor reuniu os clientes?
10. A que horas reunimos os clientes ontem?

D. Ele trabalha das 8 ao meio-dia

1. estudam da 1 às 5.
2. atendem clientes das 8 ao meio-dia.
3. assistimos à televisão das 8 às 11.
4. almoço do meio-dia à 1.
5. janta das 7 e meia às 8 e meia.

E. O relógio deu oito horas há 15 minutos. Que horas são agora? São oito e quinze.

1. São nove e vinte e cinco.
2. São dez e vinte.
3. São vinte e três para o meio-dia.
4. São onze e vinte e cinco.
5. É uma e quinze.
6. São oito e vinte.
7. São cinco e meia.
8. São sete e quinze.
9. São cinco para as quatro.
10. São dez e meia em ponto.

Fazendo compras

(Páginas 56 a 58)

A. Complete:

1. daqui a dez minutos.
2. há uma hora.
3. daqui a meia hora.
4. há três dias.
5. há uma semana.
6. daqui a vinte minutos.
7. daqui a seis meses.
8. há quarenta minutos.
9. daqui a quinze dias.
10. há dois anos.

B. Passe para o feminino:

1. Minha irmã é uma professora antiga.
2. Minha cidade é muito grande.
3. A casa da minha vizinha é simples e confortável.
4. Esta revista tem fotografias muito interessantes.
5. Quero comprar uma televisão vermelha.
6. As folhas verdes estão na mesa.
7. As ladras deixaram a caixa vazia.
8. Esta novela foi boa.
9. Esta cantora é uma mulher boa e amável.
10. Ela não gosta de sala cor-de-rosa.
11. Elas preferem uma casa pequena, num bairro comum.
12. Esta senhora é elegante e conservadora.
13. Minha irmã é cortês com as amigas.
14. A música é triste.
15. A esposa de meu filho é uma mulher difícil.
16. A revista azul está no escritório da doutora.
17. A senhora já foi à nova área residencial?
18. A entrevista desta diretora foi interessante, mas longa.
19. Esta estrada é longa, estreita e escura.
20. A espiã está com uma blusa cinza.

C. Complete:

1. caros
2. pequena; confortável
3. famosas
4. antigo; modernos
5. alemãs; modernas
6. má
7. espanhola; franceses; americanos
8. simples; simples
9. brancas; azul; amarelas; cinza
10. verdes; boas
11. azuis; marrom
12. residencial; tranqüila

13. comum; feliz
14. industrial; japonesa
15. bom; boa; grande
16. longa; interessante; boas
17. antiga; moderna; industrial; bonita
18. frias; quentes
19. difícil; interessante
20. velhas; nova

Texto narrativo: "Rios do Brasil"

(Página 59)

A. Responda:

Questões números 1, 2, 3, 4, 8 e 10: respostas pessoais.

5. A "pororoca" é o encontro das águas do Rio Amazonas com as águas do mar.
6. Porque o país tem muitos rios.
7. O rio São Francisco liga vários estados brasileiros, unindo-os.
9. O Brasil tem fronteiras com o Uruguai, a Argentina, o Paraguai, a Bolívia, o Peru, a Colômbia, a Venezuela, a Guiana, o Suriname e a Guiana Francesa.
10. Resposta do aluno.

Unidade 6

Diálogo: "Retrato Falado"

(Páginas 61 a 67)

A. Descreva o Magro.

O Magro tem rosto comprido e orelhas grandes.
Seus braços são longos e finos. Suas pernas também são longas e finas.
Ele tem ombros largos e quadrados.
Os cotovelos são pontudos e os joelhos não são redondos, são também pontudos.

B. Eu sempre vejo meu amigo no escritório.

1. vê
2. vêem
3. vemos
4. vêem
5. vê
6. vejo
7. vê

C. Eu nunca vi neve.

1. viram / vimos
2. viu / Vi
3. vi
4. viram / vi
5. viu
6. viu / Vi

D. Complete com ver:

1. vimos
2. vou ver
3. vêem
4. ver
5. ver / ver
6. viram
7. vai ver
8 está vendo / estou vendo
9. vejo
10. viu / vi

E. Complete com querer no Pretérito Perfeito:

1. quis
2. quiseram
3. quis
4. quisemos
5. quis
6. quis
7. quiseram
8. quis
9. quis
10. quisemos
11. quis

F. Complete com poder no Pretérito Perfeito:

1. puderam
2. puderam
3. pôde
4. pudemos
5. pôde
6. pôde
7. pôde
8. pôde
9. pôde
10. pude
11. pude

G. Complete com querer e poder no Pretérito Perfeito:

1. quis / pude
2. quisemos / pudemos
3. quiseram / puderam
4. quiseram
5. pudemos
6. quis

H. Eu vi os rapazes. Eu <u>os</u> vi.

1. Ana **o** viu.
2. Ana **a** viu.
3. Nós **os** vimos.
4. Nós **as** vimos.
5. Ela **a** comprou.
6. Mário **as** fechou.
7. Ela **o** prepara em 10 minutos.
8. Eles **os** encontraram no cinema.
9. Maria, Lúcia **a** visitou ontem?
10. José, Lúcia **o** visitou ontem?

I. Complete:

1. me
2. a
3. a
4. nos
5. os
6. as
7. nos
8. nos
9. o
10. as
11. a
12. me
13. a
14. a
15. os
16. o
17. a
18. os
19. as
20. os

J. Quero fazer o trabalho. Quero fazê-<u>lo</u>.

1. vê-lo.
2. Quero conhecê-la.
3. Amanhã vamos visitá-los.
4. Que bom! Vamos comprá-la.
5. O diretor não quis atendê-los.
6. Vou prepará-lo.
7. Amanhã vamos atravessá-lo.
8. Quero aprendê-la.
9. Vou encontrá-los no restaurante.
10. Não posso abri-la.
11. Esta casa é muito grande para nós. Queremos vendê-la.
12. Que belas laranjas! Vamos comê-las.
13. Gostei deste relógio. Vou comprá-lo.
14. Meus amigos vão chegar hoje e nós vamos esperá-los.
15. Brasília é uma cidade moderna. Quero conhecê-la.
16. O cofre está fechado. O diretor vai abri-lo.
17. Ela está no hospital há uma semana. Vamos visitá-la amanhã.
18. Veja que lindas flores! Vou comprá-las.
19. O trabalho é muito difícil. Não posso fazê-lo.
20. Estas cartas são urgentes. Você precisa escrevê-las imediatamente.

L. As secretárias escrev<u>em</u> as cartas. As secretárias escreve<u>m</u>-<u>nas</u>.

1. Os alunos abrem-no.
2. As crianças comeram-nos.
3. Meus filhos compraram-nos.
4. Vocês ajudam-nas.
5. Os vizinhos viram-nos.
6. Os vizinhos ajudaram-na.

7. Meus irmãos compraram-nas.
8. Os clientes beberam-no.
9. Os turistas atravessaram-no.
10. Eles viram o relógio e compraram-no.
11. Os guardas viram o ladrão e prenderam-no.
12. Eles convidaram as moças e levaram-nas ao cinema.

Diálogo: "Você está doente?"

(Páginas 67 a 69)

A. Complete as orações:

1. estou com dor de dente
2. está com febre
3. com dor de garganta
4. estou resfriado
5. com dor de cabeça
6. Estou com dor de estômago
7. está com tosse
8. Estou com dor nos pés
9. está com dor de garganta
10. dor nas costas
11. está doente / está com gripe

Palavras cruzadas

	1	2	3	4	5	6	7	8	9	10	11	12
1		D			N		R					
2	T	E	S	T	A		O		P	É	S	
3		D			R		S		E			
4		O		C	I	N	T	U	R	A		
5			V	O	Z		O		N			
6				S					A			Q
7				T								U
8			G	A	R	G	A	N	T	A		E
9		D		S		R						I
10		E				I		E		D		X
11		N				P	E	S	C	O	Ç	O
12		T	O	S	S	E		T		R		
13		E						Ô				
14								M	Ã	O		
15			C	A	B	E	Ç	A				
16					R			G				
17					A		B	O	C	A		
18					Ç							
19				D	O	E	N	T	E			

B. Complete:

1. ao / à / à
2. ao / às
3. aos
4. à / à / à
5. ao / ao / aos / às / à / à / à / à / à / ao

C. Não posso falar nem andar ou
Não posso nem falar nem andar.

1. Nós não podemos comer nem dormir.
   Nós não podemos nem comer nem dormir.
2. Francisco não pode ler nem escrever.
   Francisco não pode nem ler nem escrever.
3. Eu não posso andar nem falar.
   Eu não posso nem andar nem falar.
4. Vocês não podem dormir nem trabalhar.
   Vocês não podem nem dormir nem trabalhar.
5. Ela não pode entrar nem sair.
   Ela não pode nem entrar nem sair.

D. Queremos chá e café. Não queremos chá nem café.
ou
Não queremos nem chá nem café.

1. Não gosto de teatro nem de cinema.
   Não gosto nem de teatro nem de cinema.
2. Ontem não assisti ao jogo nem ao filme.
   Ontem não assisti nem ao jogo nem ao filme.
3. Ontem não saímos com Paulo nem com Elisabete.
   Ontem não saímos nem com Paulo nem com Elisabete.
4. O ladrão não é alto nem moreno.
   O ladrão não é nem alto nem moreno.
5. Eles não querem leite nem chocolate.
   Eles não querem nem leite nem chocolate.
6. Esta casa não é velha nem feia.
   Esta casa não é nem velha nem feia.
7. Esta casa não é grande nem antiga.
   Esta casa não é nem grande nem antiga.
8. Meus filhos nunca comem doces nem frutas.
   Meus filhos nunca comem nem doces nem frutas.
9. Você nunca compra chocolate nem frutas para eles.
   Você nunca compra nem chocolate nem frutas para eles.
10. Eles nunca viajam de avião nem de carro.
    Eles nunca viajam nem de avião nem de carro.

Linguagem popular — linguagem correta

(Página 70)

A. Ontem fui ao consultório do Dr. Fagundes. No consultório dele há sempre muita gente. Ele disse que eu estou bem. Só minhas costas não estão em ordem. Depois de falar com o doutor, fui à farmácia, comprei o remédio, voltei para casa e tomei-o bem depressa. Uh! Que remédio (gosto) horrível!

Texto narrativo: "Brasília"

(Página 71)

A. Responda:

1. A atual capital do Brasil é Brasília. Suas duas primeiras capitais foram Salvador e Rio de Janeiro.
2. Ele é importante porque orienta a construção da cidade.
3. O plano é formado por dois eixos que se cruzam nas direções norte-sul/leste-oeste. O eixo norte-sul chama-se eixo Rodoviário e o eixo leste-oeste chama-se eixo Monumental. Quando estão iluminados, eles sugerem a imagem de um grande avião.
4. Na Praça dos Três Poderes estão os prédios do Congresso Nacional, do Supremo Tribunal Federal e do Palácio da Alvorada, sede do governo.
5. O símbolo de Brasília são as colunas do Palácio da Alvorada.
6. A catedral sugere a imagem de duas mãos em oração.
7. (Resposta pessoal.)
8. (Sugestão) 1. Sim, mas não gostaria de morar lá porque é uma cidade tipicamente administrativa, e a vida é muito monótona.

   2. Sim, e gostaria de morar lá porque possui uma vida organizada e disciplinada.
9. Três artistas ficaram famosos: o urbanista Lúcio Costa, o arquiteto Oscar Niemeyer e o paisagista Burle Marx.
10. Brasília foi criada para tornar a sede do governo mais acessível a todos os brasileiros.

Unidade 7

Diálogo: "Fazendo compras"

(Páginas 74 e 75)

A. Eu faço café para meus amigos.

1. faço
2. faz
3. fazemos
4. fazem
5. faz
6. fazem
7. fazem
8. faz
9. fazemos
10. faço

B. Passe A para o Pretérito Perfeito:

1. fiz
2. fez
3. fizemos
4. fizeram
5. fez
6. fizeram
7. fizeram
8. fez
9. fizemos
10. fiz

C. Ele dá um presente para o amigo.

1. dá
2. dá
3. dão
4. dá
5. dão
6. damos
7. dou
8. dá
9. dá
10. dá

D. Passe C para o Pretérito Perfeito:

1. deu
2. deu
3. deram
4. deu
5. deram
6. demos
7. dei
8. deu
9. deu
10. deu

E. Ele põe a carta no correio.

1. põe
2. põe
3. põem
4. pomos
5. ponho
6. põe
7. põe
8. põe
9. ponho
10. pomos

F. Passe E para o Pretérito Perfeito:

1. pôs
2. pôs
3. puseram
4. pusemos
5. pus
6. pôs
7. pôs
8. pôs
9. pus
10. pusemos

G. Ele diz a verdade.

1. dizem
2. dizemos
3. diz
4. digo
5. diz
6. diz
7. dizem
8. diz
9. digo
10. dizemos

H. Passe G para o Pretérito Perfeito:

1. disseram
2. dissemos
3. disse (quando saía)
4. disse (quando cheguei)
5. disse (quando foi dormir)
6. disse
7. disseram
8. disse
9. disse
10. dissemos

I. Dei um folheto para ele = Dei-lhe um folheto.

1. lhe
2. lhes
3. lhes
4. João,telefono-lhe amanhã.
5. O vendedor mostrou-lhe as novas máquinas.
6. lhe
7. apresentaram-lhe
8. telefonar-lhes
9. dizer-lhes
10. entregar-lhes

J. O meu livro está na mesa. E o seu (livro), onde está?

1. Minha / a sua?
2. Minhas / as suas?
3. Meu / o seu?
4. Meus / os seus?
5. Seu / o dele?
6. Seus / os deles?
7. seus / os dela
8. suas / as deles
9. deles / os delas
10. deles / as delas

L. Complete:

1. todos os
2. todos os
3. toda a
4. todas as
5. tudo
6. toda a / todos os
7. Todos os
8. tudo
9. tudo
10. tudo
11. todos os
12. todos os
13. tudo
14. Todos os
15. tudo

Diálogo: "Propaganda"

(Páginas 78 a 80)

A. Ele traz boas notícias.

1. traz
2. trazem
3. traz / traz
4. traz
5. trago
6. trazem
7. trago
8. trazem
9. trazem
10. trazemos

B. O telegrama trouxe boas notícias.

1. trouxe
2. trouxe
3. trouxe
4. trouxemos
5. trouxeram
6. trouxe
7. trouxe
8. trouxeram
9. trouxe
10. trouxemos

C. Complete as sentenças:

1. fala pelos cotovelos / não têm pé nem cabeça
2. meu braço direito / dá com a língua nos dentes
3. com dor-de-cotovelo
4. Estamos com a pulga atrás da orelha / está de olho
5. é todo ouvidos
6. pé ante pé

Verbos — revisão

(Página 80)

Complete:

1. faço / ponho / digo
2. faz / põe / diz
3. fazemos / pomos / dizemos
4. trouxe / pôs
5. vai trazer / vai pô-la
6. disseram / fizeram
7. trago / dou
8. fazendo / pondo
9. disse / pôs / fez
10. pus / fiz

Texto narrativo: "São Paulo e as feiras industriais"

(Página 81)

A. Faça as perguntas:

1. Qual é a maior cidade do Brasil?
2. Quando os jesuítas fundaram São Paulo?
3. Por que a posição da aldeia era desfavorável ao desenvolvimento?
4. Por que o café foi fator importante no seu desenvolvimento?
5. Que tipos de produtos são fabricados em São Paulo?
6. Onde são apresentados os produtos da indústria paulista?
7. Que tipo de cidade é, hoje, São Paulo?

Unidade 8

Diálogo: "Falando de televisão"

(Páginas 85 a 90)

A. Antigamente, eu <u>gostava</u> desses filmes.

1. comprava
2. fumava
3. estudávamos
4. vendiam
5. comia
6. atendíamos
7. ia
8. ia
9. ia
10. era
11. éramos
12. era
13. eram
14. tinham
15. tinha
16. punha
17. punham
18. punha
19. punham
20. moravam / trabalhavam
21. era / tinha
22. dormia / andava
23. chegava / saía
24. lia / escrevia
25. éramos / tínhamos
26. fazia / dava
27. tinha / punha
28. comprava / vendia
29. começavam / acabavam
30. éramos / íamos / tinha

B. Ele <u>era</u> loiro e <u>tinha</u> olhos azuis.

1. ficava / era / tinha
2. estava / tinha
3. eram / estavam
4. tinha / estava
5. estávamos / tínhamos
6. eram / tinham
7. estava / havia
8. estava / era / tinha
9. estavam / tinham
10. éramos / era

C. Ela <u>estava dormindo</u>, quando ele <u>chegou</u>.

1. estava almoçando / tocou
2. estava escrevendo / chegaram
3. estávamos lendo / apagou
4. estava pondo / começou
5. estavam vendo / começou
6. estávamos chegando / começou
7. estava partindo / cheguei
8. estavam vendo / apagou
9. estava comprando / viu
10. estava morando / comprou
11. estava saindo / roubou
12. saíram / estavam acabando
13. entrou / estavam fazendo
14. apagou / estava pondo
15. tocou / estava brigando
16. estava pondo / quebrou

D. Ela <u>cantava</u>, enquanto ele <u>via</u> televisão.
ou
Ela <u>estava cantando</u>, enquanto ele <u>estava vendo</u> televisão.

1. escrevia / falava ou estava escrevendo / estava falando
2. preparávamos / escreviam — estávamos preparando / estavam escrevendo
3. dormia / trabalhavam — estava dormindo / estavam trabalhando
4. trabalhávamos / descansavam — estávamos trabalhando / estavam descansando
5. íamos / iam — estávamos indo / estavam indo
6. via / fazia — estava vendo / estava fazendo
7. assistíamos / lia — estávamos assistindo / estava lendo
8. falava / pensava — estava falando / estava pensando
9. viajava / aprendia — estava viajando / estava aprendendo
10. punha / fazia — estava pondo / estava fazendo
11. preparávamos / faziam — estávamos preparando / estavam fazendo
12. esperava / esperava — estava esperando / estava esperando
13. cortava / fazia — estava cortando / estava fazendo
14. dormiam / trocava — estavam dormindo / estava trocando
15. assaltavam / via — estavam assaltando / estava vendo

F. Escreva novamente o texto (E), começando assim: "Ontem eles..."

Ontem, eles estavam na sala vendo televisão, quando a luz se apagou. A casa toda ficou às escuras. A empregada, que estava pondo a mesa para o jantar, parou o serviço e foi para a cozinha.
O programa que estavam vendo era muito interessante: uma história de Sherlock Holmes. O filme parou quando o detetive estava reunindo provas para mostrá-las à polícia. Naturalmente eles iam perder o final do filme.

G. O filme de hoje é <u>tão</u> interessante <u>quanto</u> o filme de ontem.

O filme de hoje é <u>mais</u> interessante <u>(do) que</u> o filme de ontem.

O filme de hoje é <u>menos</u> interessante <u>(do) que</u> o filme de ontem.

1. mais caro
2. mais longa
3. mais velha
4. mais tranqüila / menos agitada
5. menor
6. maior do
7. mais alto
8. tão bom
9. piores
10. tão mau
11. melhores
12. menos econômicos
13. mais quente
14. menos quente

15. mais caro
16. menos caro
17. tão bom
18. mais fria
19. tão bom / maior
20. rápido quanto / menor

H. Substitua estar e haver (há, havia) por andar e existir. (Atenção: o verbo existir concorda com o sujeito.)

1. A cidade anda calma porque existem muitos guardas na rua.
2. Nós andávamos preocupados porque existiam muitos ladrões nas ruas.
3. Ele anda feliz com o casamento da filha.
4. Existem muitos livros em várias línguas sobre este país.
5. Eu andava contente com o novo secretário.
6. Estas crianças andam muito contentes porque existem muitos brinquedos novos nas lojas.
7. Existiam vários artigos interessantes nesta revista.
8. A situação econômica não anda muito boa. Existem vários problemas sem solução.
9. Os programas deste canal não andam interessantes. Existe muita propaganda nos intervalos.
10. Meu filho não anda bem e existem muitas explicações para isto.

Diálogo: "Os quindins de Iaiá"

(Páginas 91 a 94)

A. Complete com o presente:

1. sei / leio
2. venho
3. lê
4. vem / sabe
5. sabe / lê
6. vem
7. sei
8. lê
9. venho
10. leio

B. Passe os verbos de A para o plural:

1. sabemos / lemos
2. vimos
3. lêem
4. vêm / sabem
5. sabem / lêem
6. vêm
7. sabemos
8. lêem
9. vimos
10. lemos

C. Complete com o pretérito perfeito:

1. vim
2. veio
3. veio
4. soube / veio
5. soube / veio
6. leu
7. li
8. leu
9. soube / leu
10. soube / leu

D. Passe os verbos de C para o plural:

1. viemos
2. vieram
3. vieram
4. soubemos / vieram
5. souberam / vieram
6. leram
7. lemos
8. leram
9. soubemos / leram
10. souberam / leram

E. Complete com o pretérito imperfeito:

1. sabia
2. vinha
3. vinha
4. lia
5. vinha
6 sabia
7. vinha
8. lia
9. vinha
10. lia / escreviam

F. Passe os verbos de E para o plural:

1. sabíamos (quando crianças)
2. vinham
3. vinham
4. (as pessoas) liam, nós líamos
5. vinham
6. sabíamos
7. vínhamos (quando meninos)
8. liam (quando estudantes)
9. (nós) vínhamos
10. (nós) líamos / escreviam

G. Forme orações empregando os seguintes grupos de palavras:
Sugestões:

1. Muitos estrangeiros vieram para São Paulo para ver as feiras industriais.
2. Eu li uma revista sobre Brasília.
3. Nós sabemos fazer quindins.
4. Ele vinha ao Brasil todos os anos para ver os amigos.
5. Eu soube as notícias pelo jornal.
6. O diretor veio de Paris para o Brasil.
7. Nós sabemos onde fica o melhor restaurante da cidade.
8. Estes turistas assistiram às melhores peças da temporada.
9. As crianças sabiam escolher os programas de televisão.
10. Ele lê livro difíceis.

H. Complete:

1. de nós
2. neles
3. mim
4. mim
5. comigo / mim
6. você
7. conosco / com elas
8. dele / mim
9. conosco
10. comigo
11. comigo
12. mim / mim
13. conosco / nós
14. comigo / mim
15. vocês / ele

I. Pronomes — revisão

1. lhe
2. lo / nos / nós
3. na
4. lhe / lo
5. lhe / lo
6. a / la
7. me / me
8. nos / nos
9. lo / ele
10. lo
11. comigo / lhe
12. você / mim
13. conosco
14. mim
15. conosco

Texto narrativo: "Usos e costumes — Bahia, Ceará, Rio Grande do Sul"

(Página 96)

1. Porque seu território é muito grande e porque possui muitas regiões diferentes.
2. Porque estes costumes são da época da escravidão negra neste estado.
3. A festa de Iemanjá.
4. (Resposta pessoal.)
   Sugestão: Achei a comida deliciosa, estranha, diferente, muito picante, ruim, etc.
5. (Resposta pessoal.)
   Sugestão: — Sim, porque sempre estão ligados a um costume diferente de certos países.
6. Os tipos característicos do Ceará são: o jangadeiro e o cangaceiro.
   O jangadeiro é o pescador corajoso que vai pescar com a jangada, um barco muito frágil.
   O cangaceiro é uma mistura de bandido e de homem valente que vivia, antigamente, no sertão.
7. É a carne seca com farinha.
8. Os gaúchos são os habitantes do Rio Grande do Sul. São homens fortes, alegres e orgulhosos que defenderam suas terras nas lutas de fronteira.
9. O poncho é uma longa capa feita com lã de carneiro. Os gaúchos o usam por causa do inverno rigoroso.
10. O churrasco, carne assada no espeto, a bebida, o chimarrão, espécie de chá muito amargo.

Unidade 9

Diálogo: "Bons tempos aqueles..."

(Páginas 99 e 100)

A. Complete no presente:

1. sirvo	6. servem	11. preferimos	16. divirto
2. serve	7. veste	12. preferem	17. diverte
3. serve	8. visto	13. prefiro	18. diverte
4. sirvo	9. vestem	14. preferem	19. divirto
5. serve	10. visto	15. diverte	20. divertem

B. Passe A para o pretérito perfeito:

1. servi	6. serviram	11. preferimos	16. diverti
2. serviu	7. vestiu	12. preferiram	17. divertiu
3. serviu	8. vesti	13. preferi	18. divertiu
4. servi	9. vestiram	14. preferiram	19. diverti
5. serviu	10. vesti	15. divertiu	20. divertiram

A decisão

(Páginas 101 e 102)

A. Sublinhe os verbos pronominais do texto "A decisão".

se decidiu / levantou-se / vestiu-se / cumprimentaram-se / despediram-se / dirigiu-se.

B. No quadro abaixo classifique os verbos sublinhados: reflexivo ou recíproco?

Verbos	Reflexivo	Recíproco
se decidiu	X	—
levantou-se	X	—
vestiu-se	X	—
cumprimentaram-se	—	X
despediram-se	—	X
dirigiu-se	X	—

C. Complete as orações com os seguintes verbos no tempo adequado:

1. se vestiram
2. nos servimos
3. se divertiam / se divertiram / se divertem
4. se sentindo
5. dirigi-me
6. se divertir
7. se sente
8. me engano
9. nos despedir
10. se viraram
11. se decidiu
12. se engana

D. Faça orações com os seguintes verbos:

Sugestões

Lavar-se	Eles se lavam sempre neste banheiro.
conhecer-se	Eles se conhecem há dez anos.
chamar-se	Você se chama João?
secar-se	Estes cachorros se secam ao sol.
mudar-se	Nós nos mudamos hoje para esta casa.
oferecer-se	Quem se oferece para ajudar-nos?

Dinheiro curto...

(Páginas 103 a 111)

A. Transforme as orações usando o superlativo.

1. Comprei o carro mais caro da loja.
2. Ela mora na casa mais confortável do bairro.
3. Esta fábrica vende os aviões mais velozes do Brasil.
4. Ontem vimos o filme mais interessante da semana.
5. A sala dele é a mais clara do apartamento.
6. Fizemos a viagem mais curta da história.
7. Ela mora no melhor apartamento da cidade.
8. Fabricamos as maiores máquinas do país.
9. Eles fizeram o pior negócio do mundo.
10. Ele abriu a melhor loja do bairro.

B. Transforme as orações conforme o modelo.

1. Esta sala é muito clara.
   Esta sala é claríssima.
2. Ele comprou um apartamento muito velho.
   Ele comprou um apartamento velhíssimo.
3. O irmão dela é muito alto.
   O irmão dela é altíssimo.
4. O tempo em São Paulo é muito instável.
   O tempo em São Paulo é instabilissimo.
5. Esta bicicleta é muito barata.
   Esta bicicleta é baratíssima.
6. É muito difícil dirigir em São Paulo.
   É dificílimo dirigir em São Paulo.
7. Ela acha muito fácil dirigir em Nova York.
   Ela acha facílimo dirigir em Nova York.
8. Nosso diretor é um homem muito ocupado.
   Nosso diretor é um homem ocupadíssimo.
9. Ele é muito jovem, mas é muito responsável.
   Ele é muito jovem, mas é responsabilíssimo.
10. Ele está muito gordo.
    Ele está gordíssimo.

11. O carro esta muito conservado e o preço é muito bom.
O carro está conservadíssimo e o preço é ótimo.
12. Ele está muito ruim.
Ele está péssimo.
13. Ela é muito escura.
Ela é escuríssima.
14. Moro muito perto do Centro.
Moro pertíssimo do Centro.
15. O jardim da casa está muito abandonado.
O jardim da casa está abandonadíssimo.

C. Faça dois textos de propaganda empregando o superlativo:

Sugestões

a) Para as roupas ficarem mais brancas, use o sabão em pó "Esplendor".
Ele deixa suas roupas limpíssimas e as cores mais brilhantes.
"Esplendor" é o melhor sabão em pó para roupas delicadas.

b) Passe suas férias no Hotel Gramado.
Ele fica no lugar mais pitoresco do vale, onde o ar é puríssimo.
A viagem de avião até lá é muito rápida.
O Hotel Gramado é muito confortável e é o maior da região.

D. Complete:

1. ouço
2. pede
3. pediu
4. fazendo
5. fez
6. fazem
7. fazia / faço
8 ouvindo
9. ouvíamos / ouvimos
10. peço
11. pedimos
12. vão pedir
13. ouviu
14. ouvia / ouço
15. faz / faço / peço

E. Complete com acabar de: (Neste exercício pode-se empregar o Presente ou o Pretérito Perfeito.)

1. acabou de sair
2. acabou de fazer
3. Acaba de aparecer
4. acabei de receber
5. acabo de telefonar
6. acabo de quebrar
7. acabou de sair
8. acabo de vê-la
9. acabei de limpá-la
10. Acabamos de contratá-la.

F. Complete:

Sugestões

1. mal posso sair
2. mal pode trabalhar
3. mal pode falar
4. mal podia escrever
5. mal pude fazer compras
6. mal posso acreditar no que estou vendo
7. mal pode ver
8. mal posso viver
9. mal o conheço
10. mal o conheci

G. Responda a estas perguntas:

Sugestões

1. Eu preciso escrever uma carta.
2. Eles precisam comprar frutas para o jantar.
3. Eu preciso almoçar às 11 horas.
4. Ele precisa ir ao escritório.
5. Eu preciso consertar o (carro) amarelo.

H. Retome o exercício G, substituindo precisar por ter de ou ter que.

1. Eu tenho de escrever uma carta.
   Eu tenho que escrever uma carta.
2. Eles têm de comprar frutas para o jantar.
   Eles têm que comprar frutas para o jantar.
3. Eu tenho de almoçar às 11 horas.
   Eu tenho que almoçar às 11 horas.
4. Ele tem de ir ao escritório.
   Ele tem que ir ao escritório.
5. Eu tenho de consertar o (carro) amarelo.
   Eu tenho que consertar o (carro) amarelo.

I. Complete estas orações:

Sugestões

1. ir mais cedo para o escritório.
2. teve que trabalhar até tarde.
3. teve de viajar.
4. tem que estudar muito.
5. tem de esperar muito tempo.
6. tem que prestar muita atenção.
7. tem de dormir cedo.
8. tem que ser magro.
9. temos de ter dinheiro.
10. tem de ir a Roma.

J. Você está dirigindo seu carro em direção ao banco. Você está na Rua 13 de Maio, perto do super-mercado. Observe a figura e responda a estas perguntas:

1. O banco fica na Rua Tiradentes.
2. Na Rua D. Pedro I.
3. Porque ela é contramão.
4. Ela é duas mãos. (Ela é mão dupla.)
5. Ela é mão única.
6. Não, não posso porque ela está em obras.
7. Tenho que ir até a esquina da Av. 7 de Setembro, virar à direita e em seguida à direita, na R. Dom Pedro I, seguir até a Av. XV de Novembro, virar à direita e seguir até a esquina da R. Marechal Deodoro.
8. Porque a R. Tiradentes e a Av. 21 de Abril são contramão e a Rua Marechal Deodoro está em obras.

L. Coloque as legendas adequadas:

1. Depressão na pista.
2. Pare sempre fora da pista.
3. Restaurante / Posto de gasolina / Borracheiro / Telefone.
4. Use luz baixa ao cruzar com outro veículo.
5. Região sujeita a vento.
6. Pista escorregadia.
7. Ponte estreita.
8. Curva perigosa.
9. Não ultrapasse na curva.

Texto narrativo: "Uma lenda indígena — A vitória-régia"

(Páginas 112 a 113)

A. Responda:

1. Porque pensava, como todos de sua tribo, que a Lua era um moço de prata.
2. Porque, mesmo subindo nas mais altas montanhas, a Lua ficava muito longe, no céu infinito.
3. Encontrou-o no fundo do grande rio.
4. Não, não alcançou porque o que ela viu no rio era o reflexo da Lua.
5. A Lua sentiu-se responsável pela morte de Naia e, para recompensá-la, transformou seu corpo numa bela flor: a vitória-régia.
6. Resposta do aluno.

Exercícios

A. Diga de outra forma:

1. Mesmo se sentindo cansada ela não queria ficar em casa.
2. Mesmo se divertindo na festa, ela foi embora cedo.
3. Mesmo tendo entrado na contra-mão, ele não conseguiu alcançá-la.
4. Mesmo vestindo-se depressa, elas não chegaram na hora.
5. Mesmo sempre ouvindo rádio, eu nunca ouvi esta música.
6. Mesmo estando com fome, ela não almoçou.
7. Mesmo ouvindo o telefone, ele não atendeu.
8. Mesmo gostando muito dele, ela não se casou com ele.

B. Complete, conforme o modelo:
Sugestões

1. Ele quer, a todo custo, ser o diretor da companhia.
2. aumentar o preço da mercadoria.
3. a todo custo, alcançar a Lua.
4. a todo custo, arrumar emprego.
5. a todo custo, adquirir um vídeo-cassete.
6. a todo custo, um bom trabalho.
7. a todo custo, passear com aquela moça.
8. a todo custo, arranjar uma datilógrafa.

Unidade 10

Diálogo: "D. Pedro II dormiu aqui

(Páginas 115 a 119)

A. Complete com <u>algum</u>, <u>alguma</u>, <u>alguns</u>, <u>algumas</u>, <u>alguém</u>:

1. alguns / algumas
2. algumas
3. algum / algumas
4. alguma
5. alguém
6. Alguém
7. Algum / alguns
8. alguém
9. Alguém
10. Alguns / algumas
11. Alguém
12. Algumas / alguém
13. alguém
14. algumas / alguns
15. alguém / alguns

B. Complete com <u>nenhum</u>, <u>nenhuma</u>, <u>ninguém</u>, <u>nada</u>:

1. nenhum
2. Nenhum / ninguém
3. ninguém
4. nenhum
5. Nenhuma
6. ninguém
7. nenhum
8. Nada
9. nada
10. ninguém

C. Leia o texto.

Agora passe os verbos do texto para o futuro.
Comece assim: "Amanhã nosso guia . . ."

Amanhã nosso guia nos mostrará as Cataratas do Iguaçu. Sairemos — estará — partirá — estaremos — seguirá — desceremos — tomaremos — diremos — faremos — parecerá — estaremos — será — trará — estaremos.

D. Substitua o Futuro Imediato pelo Futuro:

1. trabalharei / descansarei
2. comprará / venderá
3. partirá / chegará
4. me fará / me trará
5. dirá
6. nos trará

E. Passe as orações anteriores no Futuro para o plural:

1. trabalharemos / descansaremos
2. comprarão / venderão
3. partirão / chegarão
4. nos farão / nos trarão
5. Ana Maria e Luisão dirão. . . precisam
6. nos trarão

F. Formule as perguntas. Use o Futuro.

Sugestões

2. — A que horas abrirão os bancos?
3. — Quem o ajudará?
4. — O que ele fará?
5. — Como você irá à Europa?
6. — O que vocês beberão no almoço?
7. — O convidado trará algum amigo?

8. — Os ladrões dirão onde está o dinheiro?
9. — Onde Luísa comprará a máquina de lavar?
10. — O que pediremos como sobremesa?

G. Complete:

1. durmo; 2. dorme; 3. dormiu; 4. dormiam; 5. dormimos; 6. dormi; 7. sobem; 8. sobe; 9. subo; 10. subia; 11. subíamos; 12. subo; 13. sobem; 14. cobre; 15. cobrem, cobriram, cobrirão, cobriam; 16. descobriram; 17. descobriu; 18. cobriu; 19. cobri; 20. descubro / descobrirei.

Diálogo: "Era um carro novinho em folha!"

(Páginas 120 a 124)

A. Passe para o diminutivo:

copo — copinho
anel — anelzinho
baixo — baixinho
grande — grandinho
chapéu — chapeuzinho
rua — ruazinha
homem — homenzinho
livro — livrinho
amor — amorzinho
lápis — lapisinho
nariz — narizinho
inteiro — inteirinho
olhos — olhinhos
pé — pezinho
mão — mãozinha
irmã — irmãzinha
lição — liçãozinha
jardim — jardinzinho
longe — longinho
pouco — pouquinho
hotel — hotelzinho
avião — aviãozinho
pão — pãozinho

B. Classifique os diminutivos:

	objetos pequenos	carinho	ênfase	desprezo	expressão típica da língua
1. Você já leu o jornalzinho da escola?	X				
2. Ela deixa tudo limpinho.			X		X
3. Ela está tão bonitinha hoje!		X			
4. Não gosto desta mulherzinha.				X	
5. O solzinho está gostoso hoje.					X
6. Quero só um pouquinho de chá.			X		
7. Aceita um cafezinho?	X				
8. Ele tem uma vidinha calma.					X
9. Nossa! Que livrinho ruim!				X	
10. Joãozinho, agora você vai ficar sentadinho aí.	X	X			
11. Ele faz uma comidinha gostosa.		X			X
12. O ladrão entrou em casa devagarinho.			X		

C. Substitua as palavras grifadas pelo diminutivo:

1. bonitinha — baixinha; 2. pertinho; 3. limpinha; 4. baixinho; 5. carregadinha; 6. baratinhas; 7. direitinho; 8. novinha; 9. grandinha; 10. docinho.

D. Substitua o verbo grifado. Faça outras modificações, se necessário.

1. ... faz cinco anos.
2. Faz dois meses que eu não o vejo.
3. ... faz alguns anos.
4. Faz dois dias que ele saiu do hospital e já está trabalhando.
5. Faz quanto tempo que nós nos conhecemos?
6. ... Já faz muito tempo.

E. Complete com a palavra indicada na forma adequada:

2. cansada.
3. devem estar contentes.
4. devem estar doentes.
5. devem ser antigos.
6. devem estar ricos.
7. devem ser ricas.
8. deve estar estragado.
9. deve estar quebrada.
10. devem ser estrangeiras.
11. devem estar felizes.
12. devem ser felizes.

F. Escreva por extenso:

1. 16.° - décimo-sexto
2. 24.° - vigésimo-quarto
3. 35.° - trigésimo-quinto
4. 52.° - qüinquagésimo-segundo
5. 13.° - décimo-terceiro
6. 47.° - quadragésimo-sétimo
7. 88.° - octagésimo-oitavo
8. 99.° - nonagésimo-nono
9. 19.° - décimo-nono
10. 61.° - sexagésimo-primeiro
11. 102.° - centésimo-segundo
12. 1000.° - milésimo
13. 76.° - septuagésimo-sexto
14. 29.° - vigésimo-nono
15. 15.° - décimo-quinto

G. Complete com ordinais

1. segunda / quinta
2. vigésimo-quarto
3. décimo-sétimo
4. sexta
5. décimo-terceiro
6. primeira
7. primeiro / segundo / terceiro
8. quarto / quinto / sexto
9. sétimo / oitavo / nono
10. décimo / décimo-primeiro / décimo-segundo
11. primeiras

H. Diga de outra forma:

Sugestões

1. Que aborrecimento!
2. Tenha calma! Vamos ver o que aconteceu.
3. Que situação desagradável!
4. Não há outra solução / Não há outra saída.
5. Eu o estacionei próximo àquela árvore.
6. Neste momento / Há um minuto atrás.
7. Faz menos de dez minutos.
8. Era bem novo.
9. Devemos ir à polícia.

Texto narrativo: "Um pouco de nossa história"

(Página 126)

A. Responda:

1. Não, não foi. Durante 300 anos, como colônia de Portugal, o Brasil desenvolveu-se lentamente.
2. Porque com sua chegada, a vida do Rio de Janeiro mudou muito. O país progrediu bastante com a presença da corte.
3. Não tinha, porque o Rio de Janeiro, na época, era uma pequena cidade de apenas 60.000 habitantes.
4. Para defender os interesses de Portugal.
5. Porque ele vivia no Brasil desde os 9 anos de idade e amava a nova terra como sua segunda pátria.
6. Por volta de 1821, o Brasil já queria sua independência.
7. Porque D. Pedro viera a esta província, a fim de acalmar os patriotas que exigiam a independência.
8. Resposta pessoal.
9. O quadro ilustra o momento em que D. Pedro proclamou a independência, às margens do riacho Ipiranga.
   No centro do quadro, vemos o príncipe regente com a espada na mão, gritando "Independência ou morte". Ao seu redor, os soldados que o acompanham na viagem, imitam seu gesto e repetem o brado de independência.

Unidade 11

Diálogo: "Progresso é progresso"

(Páginas 130 e 131)

A. Complete com: cada, vários, várias, outro, outra, outros, outras, qualquer:

1. cada; 2. Cada; 3. outro; 4. outra; 5. outras; 6. outra; 7. Qualquer; 8. Qualquer; 9. Qualquer; 10. Qualquer; 11. várias; 12. vários; 13. cada; 14. outro; 15. outras; 16. outra; 17. Qualquer; 18. Qualquer; 19. Qualquer; 20. cada / cada; 21. cada; 22. vários; 23. várias; 24. vários; 25. Cada.

B. Faça sentenças.
Sugestões

1. Vendemos nosso carro e agora vamos comprar outro.
2. Ele não quer mais estas máquinas, porque já chegaram outras, mais novas.
3. Cada um de nós fará uma parte do trabalho.
4. Esta menina lê qualquer coisa.
5. Esta loja tem vários departamentos.
6. Já o vimos várias vezes.

Modo indicativo

(Página 131)

A. Complete com o verbo no tempo indicado:

1. saí; 2. atrai; 3. cair; 4. caiu; 5. saía; 6. sairemos; 7. saem; 8. caiu; 9. atraem; 10. caíram,caem;caíam, cairão; 11. saía, saio, sairei, saí; 12. subtraiu; 13. trai; 14. traio; 15. atrai.

Contexto: "Doce lar eletrônico"

(Páginas 133 e 134)

A. Certo ou errado?

O computador doméstico

1. errado
2. errado
3. certo
4. errado
5. certo

B. Complete com um verbo do texto no presente simples:

põe / atende / mantém / providencia / rega / assa / lava / dá / acende / desliga / serve

C. Explique:

1. O tempo do computador
2. molha as plantas / põe água nas plantas / dá água para as plantas
3. torna a vida mais fácil, menos complicada
4. Ele sempre tinha pequenos problemas para resolver.
5. Ele procura solucionar seus problemas, tenta resolver seus problemas
6. Ele é feito para economizar energia

D. Complete com até:

1. até 2. até 3. até

E. Na sua opinião, quais são as duas maiores vantagens do computador doméstico?

Sugestão:

1. O computador simplifica a vida das pessoas fazendo todo o trabalho doméstico e gastando pouca energia.
2. Ele é um ótimo elemento de segurança porque protege a casa através de um sistema de alarme contra ladrões e contra incêndios.

Mais-Que-Perfeito

(Páginas 134 a 137)

A. Complete com o Mais-Que-Perfeito:

1. tinha pensado
2. tinha resolvido
3. tinha partido
4. tinha comprado
5. tinham ido
6. tínhamos vendido

B. Complete com o Particípio:

1. visto; 2. falado; 3. assistido; 4. vendido; 5. decidido; 6. ganho; 7. dito; 8. feito; 9. aberto; 10. escrito; 11. jantado; 12. começado; 13. dito; 14. escrito; 15. visto; 16. feito; 17. usado; 18. posto; 19. escrito; 20. andado.

C. Complete com o Mais-Que-Perfeito:

1. tinha visto
2. tínhamos pago
3. tinham escrito
4. tinham feito
5. tinham dito
6. tinha dirigido
7. tinha bebido
8. tinha comprado
9. tinha aberto
10. tinha coberto
11. tinha descoberto
12. tinha ganho
13. tínhamos aplicado
14. tinham depositado
15. tinha recebido
16. tinham vindo
17. tinha posto
18. tinha corrido
19. tínhamos gasto
20. tinha omitido

D. Complete com os verbos do texto "Doce lar eletrônico", no mais-que-perfeito:

tinha posto / tinha atendido / tinha mantido / tinha providenciado / tinha regado / tinha assado / tinha desligado / tinha servido

E. Complete o quadro

Verbo	Substantivo	Verbo	Substantivo
1. partir	a partida	14. assinar	a assinatura
2. chegar	a chegada	15. voar	o vôo
3. sair	a saída	16. aumentar	o aumento
4. empregar	o emprego	17. resolver	a resolução
5. trabalhar	o trabalho	18. escolher	a escolha
6. parar	a parada	19. repor	a reposição
7. proibir	a proibição	20. defender	a defesa
8. permitir	a permissão	21. abrir	a abertura
9. propor	a proposta	22. cobrir	a cobertura
10. pintar	a pintura	23. perder	a perda
11. discutir	a discussão	24. prejudicar	o prejuízo
12. preferir	a preferência	25. sugerir	a sugestão
13. receber	o recebimento o recibo a recepção		

Intervalo: "Irene no céu"

(Página 138)

A. Responda:

1. Porque Irene foi sempre boa em vida e por isso podia entrar naturalmente no céu.
2. Sua linguagem é típica de pessoas humildes, acostumadas a trabalhar para os outros, em geral pessoas da raça negra. O "branco", no caso, é São Pedro, o porteiro do céu.
3. Não, ela não é revoltada, porque ela está sempre de bom humor.

Texto narrativo: "Pedras preciosas brasileiras (1)"

(Página 139)

A. Responda:

1. Ela atrai pela beleza e fascínio de sua cor verde.
2. Ela surge em estado bruto, quer dizer, natural, nos garimpos, nas minas da Bahia ou de Minas Gerais. Daí ela vai para a oficina do lapidário para ser lapidada. Depois, um ourives faz a armação, o engaste para a pedra. Finalmente, ela vai para a joalheria para ser vendida.

3. O garimpeiro garimpa, isto é, procura ouro e pedras preciosas nas minas.
   O lapidário lapida a pedra, isto é, corta a pedra para lhe dar brilho.
   O ourives trabalha com ouro e outros metais preciosos, fabricando jóias.
   O joalheiro é o comerciante que vende e compra jóias.
4. Porque antes de ser lapidada, é muito difícil saber se a pedra tem ou não valor.
5. (Resposta pessoal) Sugestão: Sim, ela me atrai pela sua cor e pelo seu brilho.
6. Porque é ele que controla o valor do dinheiro.
7. Fernão Dias foi um bandeirante paulista muito estimado pelo povo da vila de São Paulo e pelo rei de Portugal. Esse bandeirante sonhava encontrar minas de esmeralda e por isto foi chamado de "Caçador de esmeraldas".
8. Não, não foi. Ao morrer, perto do Rio das Velhas, tinha encontrado apenas turmalinas, pedras verdes de pouco valor.

B. Baseando-se na trajetória da esmeralda, descreva a transformação que acontece com o ouro até que chegue às vitrinas de uma joalheria.

O ouro é encontrado em minas ou no leito dos rios, em estado bruto, como um pedregulho. Depois ele é refinado e transformado em barras. Daí é vendido ao ourives que transforma o metal em jóia, dando-lhe as formas mais diversas.

Unidade 12

Diálogo: "Num sábado"

(Páginas 142 a 146)

A. Dê a 1.ª pessoa do singular do presente do indicativo e do presente do subjuntivo:

1. ter — eu tenho — Que eu tenha
2. morar — eu moro — Que eu more
3. fazer — eu faço — Que eu faça
4. ver — eu vejo — Que eu veja
5. pedir — eu peço — Que eu peça
6. dizer — eu digo — Que eu diga
7. partir — eu parto — Que eu parta
8. ouvir — eu ouço — Que eu ouça
9. sair — eu saio — Que eu saia
10. dormir — eu durmo — Que eu durma
11. subir — eu subo — Que eu suba
12. vender — eu vendo — Que eu venda
13. vir — eu venho — Que eu venha
14. comprar — eu compro — Que eu compre
15. ler — eu leio — Que eu leia
16. trazer — eu trago — Que eu traga
17. pôr — eu ponho — Que eu ponha
18. preferir — eu prefiro — Que eu prefira
19. servir — eu sirvo — Que eu sirva
20. desistir — eu desisto — Que eu desista

B. Complete com o presente do subjuntivo:

1. ouvir — Que nós ouçamos
2. trazer — Que ele traga
3. partir — Que você parta
4. pedir — Que o senhor peça
5. morar — Que elas morem
6. dizer — Que a senhora diga
7. subir — Que nós subamos
8. sair — Que ela saia
9. fazer — Que vocês façam
10. pôr — Que ele ponha
11. ter — Que nós tenhamos
12. desistir — Que eles desistam
13. vender — Que as senhoras vendam
14. vir — Que nós venhamos
15. vir — Que eles venham
16. chover — Que chova

C. Complete com o presente do subjuntivo:

1. ande; 2. vendam; 3. partam; 4. possam; 5. façam; 6. traga; 7. tragam; 8. mudem; 9. tenham; 10. diga; 11. goste; 12. possam; 13. desista; 14. saia; 15. tenhamos; 16. acorde; 17. possa; 18. venham; 19. entremos; 20. se lembre.

D. Complete com o presente do subjuntivo:

1. coma / durma; 2. esperem; 3. diga; 4. ouça; 5. descubramos; 6. entendam; 7. faça; 8. encontre; 9. saiam; 10. venham.

E. Faça sentenças:

2. fique em casa.
3. comecemos o trabalho.
4. eu pegue o ônibus.
5. você verifique o óleo.
6. nós cheguemos às duas.
7. ela fique contente.
8. vocês dirijam devagar.
9. o proprietário alugue a casa.
10. você esqueça o que aconteceu.

F. Faça sentenças:

2. ele nunca mais fale comigo.
3. eles façam barulho na sala.
4. vocês tenham azar no jogo.
5. eles desistam da idéia.
6. que não chova hoje à noite.
7. esta criança durma a noite toda.
8. ele ponha o terno claro.
9. esta camisa não sirva.
10. ganhemos pouco.
11. você trabalhe o dia inteiro.
12. nós não conheçamos Suzana.
13. o senhor não possa vir à festa hoje à noite.
14. não tenha amigos aqui.
15. eles não gostem da gente.
16. esta moça tenha idéias malucas.

Contexto: "A sogra"

(Páginas 146 e 147)

A. Escolha a alternativa correta:

1. c; 2. b.

B. Responda oralmente sem recorrer ao texto:

1. O genro morava no Rio e era funcionário público estadual.

2. A sogra precisava ver uma fazendinha que o marido lhe deixara.
3. A fazenda estava abandonada e ficava no Triângulo Mineiro.
4. Porque o marido estava enterrado no cemitério do Caju, no túmulo da família, no Rio de Janeiro.

Modo Indicativo

Mais-Que-Perfeito (Forma simples)

(Páginas 148 e 149)

A. Dê o Mais-Que-Perfeito, forma simples:

2. Cuidar — eles cuidaram — Você cuidara
3. correr — eles correram — Nós corrêramos
4. perceber — eles perceberam — Eles perceberam
5. insistir — eles insistiram — Vocês insistiram
6. desistir — eles desistiram — Nós desistíramos
7. saber — eles souberam — Nós soubéramos
8. dar — eles deram — Ela dera
9. ver — eles viram — Nós víramos
10. vir — eles vieram — Ela viera

B. Passe o Mais-Que-Perfeito — forma simples, para a forma composta:

1. Eu já tinha jantado quando ele telefonou.
2. Ela já tinha aberto a porta quando ele tocou a campainha.
3. Quando a notícia chegou, nós já tínhamos partido.
4. Quando eu nasci, meu avô já tinha morrido.
5. O ladrão ainda não tinha ido embora quando a polícia chegou.
6. Quando o elevador chegou, ela ainda não tinha se despedido da amiga.
7. Eu estava nervoso porque nada tinha dado certo.
8. Nós estávamos preocupados porque ele ainda não tinha telefonado.
9. Ele estava contente porque tinha encontrado Mariana.
10. Eles estavam com fome porque não tinham comido nada.

Pronomes relativos

(Páginas 149 a 154)

A. Complete com que:

1. que; 2. que; 3. que; 4. que; 5. que.

B. Una as orações empregando o pronome relativo que:

2. Ele não recebeu a carta que lhe escrevi.

3. O relógio que ele perdeu era de seu pai.
4. O carro que ele vendeu era velho.
5. Os papéis que temos são importantes.
6. Eles vão pegar as entradas para o teatro que já estão reservadas.
7. O carro que ela viu ontem é novinho.
8. A fazenda que ele herdou é muito grande.
9. Não conheço o rapaz que ela ama.
10. Temos muitos parentes que nem conhecemos.
11. Vimos o filme que você tinha recomendado.
12. Temos um novo vizinho que veio dos E.U.A.
13. Ele herdou uma fazendinha que fica no Triângulo Mineiro.
14. Recebemos muitas cartas que vêm do exterior.
15. Recebemos muitos amigos que vêm do interior.

C. Complete com a preposição + quem:

1. O rapaz de quem lhe falei ontem está aqui.
2. Minha filha, para quem faço tudo, é muito carinhosa.
3. O diretor para quem trabalho nunca está contente.
4. O rapaz com quem saí ontem era espanhol.
5. Este é o rapaz em quem sempre penso.
6. Não conheço o casal para quem você deu nosso endereço.

D. Una as orações empregando o pronome relativo quem:

2. O rapaz de quem eu gosto não gosta de mim.
3. Os tios com quem ela mora são ricos.
4. A moça para quem ela pediu uma informação estava ocupada.
5. Os amigos para quem escrevemos são atenciosos.
6. Os adversários contra quem jogamos são fortes.
7. João e Maria, a quem desejamos muitas felicidades, casam-se hoje.
8. Nossos tios, a quem enviamos uma carta, chegarão no mês que vem.
9. Nossos companheiros de viagem, a quem demos nosso endereço, vêm nos visitar nesta Páscoa.
10. A sobrinha, para quem eles deixaram toda a fortuna, é mal agradecida.
11. A sogra, para quem ele faz tudo, nunca está contente.
12. A moça com quem ele se casou é advogada.
13. Pedro, com quem nosso filho sempre brinca, é nosso vizinho.
14. O jornaleiro com quem sempre converso é muito engraçado.
15. A telefonista com quem falei hoje de manhã estava nervosa.

E. Complete com onde:

1. onde; 2. onde; 3. onde; 4. onde; 5. onde.

F. Una as orações empregando o pronome relativo onde:

2. O escritório onde trabalho é grande e claro.
3. A fábrica onde o incêndio começou era moderna.
4. O hotel onde os jogadores sempre se hospedam fica nas montanhas.
5. O carro onde o crime foi cometido está na polícia.
6. O livro onde o documento foi achado estava no velho armário da sala.
7. O canal "10" onde sempre há bons filmes é o melhor de todos.
8. A praia onde meu filho foi passar as férias é pouco conhecida.
9. O colégio onde estudei é muito antigo.
10. A rua XV de Novembro, onde ela mora, fica longe.

G. Substitua que, quem, onde, por o qual, a qual, os quais, as quais:

1. O livro do qual falo recebeu o prêmio do ano.
2. O problema no qual penso noite e dia não tem solução.
3. Esperamos a resposta da qual depende o futuro da firma.
4. As amigas com as quais moro não são muito compreensivas.
5. Gosto muito do meu vizinho de apartamento, com o qual sempre converso.
6. O bairro no qual ele mora tem várias lojas importantes.
7. Tenho alguns amigos em Portugal nos quais penso sempre.
8. Tenho alguns amigos nos E.U.A. com os quais mantenho correspondência.
9. Espero uma carta de Paulo para o qual pedi ajuda.
10. Aqui estão os alunos dos quais lhe falei.

H. Complete com as formas variáveis do pronome: o qual, os quais...

1. com os quais
2. com o qual
3. dos quais
4. para as quais
5. para os quais

I. Complete com o pronome relativo cujo:

1. cujo; 2. cujo; 3. cuja; 4. cujos; 5. cujas.

J. Una as orações empregando os pronomes relativos cujo, cuja...

1. O carro, cujas luzes estavam apagadas, era americano.
2. O prédio, cuja porta era pequena, ficava na rua principal.
3. O aluno, cujos livros ficaram na classe, saíu mais cedo.
4. Esta sala, cujas janelas são grandes, é a melhor do prédio.
5. Meu amigo, cuja mãe está doente, veio de Belo Horizonte.

Intevalo

(Página 154)

A. Observe as duas figuras e crie duas estórias. Conte-as.

Sugestões

1. A cena se passa na rua de uma grande cidade.
   Um senhor anda distraidamente pela calçada quando, de repente, um garoto que vem correndo esbarra nele.
   Pede-lhe desculpas mas, ao mesmo tempo, sem que o homem perceba, tira-lhe a carteira do bolso. O garoto é um "trombadinha".
   Ao perceber que foi roubado, o senhor grita por socorro, mas é tarde: o "trombadinha" já está longe.
2. A cena passa-se à noite, na casa dos Moreira, um lar semelhante a muitos outros.
   O marido está lendo o jornal que ele comprou à tarde, e a senhora Moreira lê um romance.
   O senhor Moreira levanta os olhos do jornal e pergunta à mulher se ela não faria um cafezinho.
   Ela vai fazê-lo logo que acabar a leitura daquela página.

B. Conte as estórias sob forma de diálogo.

1. A cena passa-se na rua de uma grande cidade.
   — Veja por onde anda, garoto, você quase me fez cair.
   — Desculpe, senhor, eu estava distraído.
   — Está bem, mas preste mais atenção nas pessoas.
   Alguns minutos depois, colocando a mão no bolso do paletó:
   — Socorro, polícia! Fui roubado. Peguem aquele garoto. É um "trombadinha". Mas que moleque sem vergonha!
2. A cena passa-se à noite na casa dos Moreira.
   — Luísa, eu bem que gostaria de tomar um cafezinho agora. Você não quer fazer um para nós?
   — Faço, sim. Mas espere um pouco. Estou num pedaço do livro muito bom. Acabando está página, faço sim.

Texto narrativo: "Pedras preciosas brasileiras (2)"

(Páginas 155 e 156)

A. Responda:

1. O Brasil tem quase todos os tipos de metais e pedras preciosas: ouro, prata, platina, águas-marinhas, ametistas, esmeraldas, topázios, turmalinas.

2. As pedras preciosas tiveram papel importante na história do Brasil porque, saindo à procura delas, os exploradores aumentaram o território do país.
3. As "bandeiras" foram expedições formadas por homens corajosos que saíam em busca dos metais e pedras preciosas.
4. Não, elas tiveram outras funções, porque ao mesmo tempo aumentaram o território do Brasil e colonizaram o interior do país, fundando novas cidades.
5. Ouro Preto foi fundada no séc. XVIII e seu progresso foi devido à existência do ouro na região. Por essa razão, na época, chamava-se Vila Rica.
6. O nome de Diamantina é devido à existência dos diamantes na região.
7. As minas brasileiras são propriedades ou patrimônio público.
8. É preciso que o governo outorgue (conceda) licenças.
9. Resposta pessoal.
10. Resposta pessoal.
    Sugestão
    Gosto muito da água-marinha por causa de sua cor azul profundo. É uma pedra delicada e muito elegante.

Unidade 13

Diálogo: "Um médico ocupadíssimo"

(Páginas 159 a 161)

A. Complete as orações:

2. ouçam
3. gaste menos
4. vá embora
5. saibam a lição
6. estejam cansados
7. fique cansado
8. sejamos pacientes
9. falem baixo
10. pague à vista
11. coma menos
12. saibam a verdade
13. dê uma olhada
14. haja outra chance
15. queira ficar
16. dêem uma olhada
17. dêem uma olhada
18. queiram entender
19. queira viajar
20. vão de avião

B. Complete com a conjunção adequada: para que, a fim de que, embora, contanto que, a não ser que, mesmo que, até que, antes que:

1. mesmo que / a não ser que
2. até que / embora / contanto que / mesmo que
3. Embora / mesmo que / a não ser que
4. antes que / a não ser que
5. a não ser que / mesmo que / embora / antes que
6. a fim de que / para que
7. contanto que

C. Complete as orações:

1. ouça; 2. compreendam; 3. veja; 4. ajude; 5. vista; 6. prefira; 7. fique; 8. queiram; 9. haja; 10. dê; 11. deixe; 12. dêem.

D. Passe para o plural:

1. É impossível que nós estejamos erradas.
2. É melhor que elas saibam a verdade.
3. É provável que vocês não saibam nossos nomes.
4. É necessário que nós vamos agora.
5. Convém que elas estejam aqui às 10.
6. Basta que elas queiram trabalhar.
7. É possível que eles estejam com frio.
8. É melhor que vocês dêem uma olhada.
9. Convém que nós lhes demos outra chance.
10. É possível que haja alguns enganos.

E. Leia o texto, com atenção.

Agora, assinale as orações que não correspondem à idéia do diálogo:

Elas podem chegar bem no início da sessão, pois não há problemas de lugares.
Uma vez dentro do cinema, qualquer lugar serve.
Há sempre bons lugares.

Exercícios

(Páginas 161 e 162)

A. Diga de outra forma:

1. O que você está vendo?
2. Do que você está falando?
3. Por que você está aqui?
4. Onde você trabalha?
5. Quem você viu?
6. O que você fez?
7. Quando aconteceu?

B. Diga de outra forma:

1. Onde é que você mora?
2. Quanto é que você quer ganhar?
3. Para quem é que você trabalha?
4. Por que é que você está brava?
5. Quem é que chegou? / Quem foi que chegou?
6. Quem é que disse isso? / Quem foi que disse isso?
7. O que é que você disse? / O que foi que você disse?
8. Quando é que ele vai começar?
9. Até quando é que vou esperar?
10. Quando é que você vem?
11. Quanto é que você deu? / Quanto foi que você deu?
12. Quando é que ela nasceu? / Quando foi que ela nasceu?
13. Onde é que você vai?
14. Onde é que você foi? / Onde foi que você foi?
15. O que é que você pediu? / O que foi que você pediu?

Contexto: "A outra noite"

(Página 163)

A. Certo ou errado?

	Certo	Errado
1.	x	
2.	x	
3.		x
4.		x
5.		x
6.		x
7.	x	
8.		x

B. Explique:

1. noite muito escura, sem luar.
2. noite chuvosa, com as ruas cheias de lama.
3. luz da lua.
4. nuvens iluminadas pelo luar.
5. paisagem que não parece real.
6. sinal vermelho, indicando que os carros não podem passar.
7. céu coberto de nuvens escuras, indicando que vai chover.
8. o percurso feito pelo táxi.

C. Dê sinônimos para:

1. nuvens brancas, claras.
2. um sinal vermelho para olhar para mim, virando a cabeça
3. Mas, é verdade que tem luar lá em cima?
4. Continuou dirigindo devagar
5. desci do carro

Advérbios

(Páginas 163 a 166)

A. Aqui estão alguns adjetivos. Dê os advérbios em mente:

1. largamente; 2. curtamente; 3. lindamente; 4. simplesmente; 5. facilmente; 6. brevemente; 7. dificilmente; 8. duramente; 9. suavemente; 10. comumente.

B. Substitua as expressões por um advérbio em mente:

2. facilmente; 3. delicadamente; 4. bondosamente; 5. inteligentemente; 6. cuidadosamente; 7. apressadamente; 8. calorosamente; 9. violentamente; 10. casualmente; 11. propositadamente; 12. levemente; 13. obrigatoriamente; 14. claramente; 15. cegamente; 16. brevemente; 17. imediatamente; 18. brutalmente; 19. economicamente; 20. maliciosamente; 21. diariamente; 22. semanalmente; 23. quinzenalmente; 24. mensalmente; 25. semestralmente; 26. anualmente; 27. parcialmente; 28. amigavelmente.

C.. Substitua os advérbios em mente por expressões equivalentes:

1. de repente; 2. de propósito; 3. por acaso; 4. com atenção; 5. a mão; 6. com sabedoria; 7. com preocupação; 8. com honestidade; 9. com calma; 10. com preguiça; 11. com naturalidade; 12. com delicadeza; 13. por dia; 14. por ano.

D. Complete com os advérbios bem, mal, alto, baixo, muito, pouco, bastante:

1. muito; 2. pouco; 3. mal; 4. muito/bastante; 5. mal; 6. alto; 7. bem; 8. baixo/muito; 9. pouco/bastante/muito; 10. muito/ bastante/bem / pouco / mal.

E. Faça sentenças com:

Sugestões

1. Ela fala português muito bem.
2. Ele quebrou o carro de propósito.
3. Em breve, iremos à Europa.
4. Ele foi ao médico, mas felizmente não tinha nada grave.
5. Ele encontrou seu amigo, por acaso, na rua.
6. A polícia examinou o lugar cuidadosamente, mas não encontrou nada.
7. Este homem começou a vida com pouco dinheiro, mas agora está muito rico.
8. Esta toalha foi bordada a mão e não a máquina.
9. O médico recebeu um telefonema urgente, por isso saiu apressadamente.
10. Ele não quis falar do assunto, por isso falou de leve sobre ele.

F. Um rapaz, diante de uma estação de metrô, anda de um lado para outro e olha seu relógio. Empregue: pacientemente, às vezes, muito, de repente, bastante, felizmente.

Um rapaz espera alguém, diante de uma estação de metrô. Ele está lá já há bastante tempo e anda de um lado para outro. Às vezes, ele olha seu relógio.

De repente, ele vê uma bela moça, subindo as escadas do metrô. Felizmente, era a pessoa que ele esperava. Já era tempo, pois ela está muito atrasada.

Texto narrativo: "Belém do Pará"

(Páginas 168 e 169)

B. Explique oralmente.

1. Pomar é uma plantação de árvores frutíferas. Belém é considerada uma cidade pomar, porque as árvores de suas ruas são mangueiras.
2. O garoto, o moleque que joga pedras nas árvores para fazer as frutas caírem é o apedrejador de mangueiras.
3. São os panos vermelhos amarrados ao mastro dos barcos e que o fazem navegar.

C. Responda:

1. Faz lembrar o som de um sino.
2. Porque ele foi construído de acordo com as características geográficas e topográficas da cidade.
3. Belém está numa região onde há árvores que produzem borracha e castanha.
4. É a cidade de Belém. Ela é gostosa, quer dizer saborosa, por causa de suas mangueiras e de tudo mais que ela produz.
5. É a seringueira.
6. Resposta pessoal.
7. Resposta pessoal.

Unidade 14

Diálogo: "Agência de viagens"

(Páginas 171 a 175)

A. Dê o Perfeito do Indicativo e o Imperfeito do Subjuntivo nas pessoas indicadas:

	Perfeito do Indicativo	Imperfeito do Subjuntivo
1.	Eles gostaram	Se eu gostasse
2.	Eles andaram	Se eu andasse
3.	Eles trabalharam	Se eu trabalhasse
4.	Eles comeram	Se ele comesse
5.	Eles beberam	Se ele bebesse
6.	Eles atenderam	Se ela atendesse
7.	Eles partiram	Se você partisse
8.	Eles permitiram	Se você permitisse
9.	Eles dormiram	Se a gente dormisse
10.	Eles fizeram	Se nós fizéssemos
11.	Eles puseram	Se nós puséssemos
12.	Eles tiveram	Se nós tivéssemos
13.	Eles foram	Se eles fossem
14.	Eles pediram	Se eles pedissem
15.	Eles disseram	Se eles dissessem
16.	Eles foram	Se eu fosse
17.	Eles trouxeram	Se nós trouxéssemos
18.	Eles viram	Se nós víssemos
19.	Eles vieram	Se ela viesse
20.	Eles souberam	Se eles soubessem
21.	Eles quiseram	Se nós quiséssemos

B. Complete com o Imperfeito do Subjuntivo:

1. fumássemos; 2. andasse; 3. saíssem; 4. estudassem; 5. voltasse; 6. abrisse; 7. desse; 8. chegassem; 9. ficassem; 10. puséssemos.

C. Passe o verbo principal para o Perfeito do Indicativo. Depois faça as modificações necessárias.

2. Duvidei que você viesse.
3. Fiz questão que vocês me escutassem.
4. Não quis que você fosse.
5. Exigimos que ela nos ouvisse.
6. Pedi-lhe que pagassem a conta.
7. Ele desejou que ela fosse feliz.
8. Senti que ele não fosse feliz.
9. Foi melhor que você viesse.

10. Esperei que você me compreendesse.
11. Tivemos medo que ele não compreendesse.
12. Ele lamentou que estivéssemos com pressa.
13. Duvidamos que você soubesse fazê-lo.
14. Quis que você fizesse as malas.
15. Pedi-lhe que não fizesse essa viagem.

D. Passe o verbo principal para o Imperfeito do Indicativo. Faça, depois, as modificações necessárias:

1. Era provável que ele ficasse.
2. Era melhor que você esperasse.
3. Era possível que vocês pagassem mais.
4. Era possível que chegássemos atrasados.
5. Era necessário que você lesse isso.
6. Era conveniente que estudássemos.
7. Gostava de você, embora você não gostasse de mim.
8. Ele levava vida de rei, embora ganhasse pouco.
9. Eu explicava devagar para que você entendesse.
10. Não ia, mesmo que vocês me pedissem.
11. Eu sempre ia embora antes que eles chegassem.
12. A mãe cantava para que a criança dormisse.
13. Eu chamava Maria a fim de que ela me ajudasse.
14. Ela saía de casa, contanto que não chovesse.
15. A aeromoça esperava até que o último passageiro subisse.
16. Sempre aceitava trabalho contanto que pudesse fazê-lo.
17. Bastava que ele dissesse uma palavra.
18. Bastava que telefonássemos.
19. Convinha que você pensasse melhor.
20. Convinha que ele nos ouvisse.

E. Passe o verbo para o Imperfeito do Subjuntivo:

1. Talvez ele quisesse descansar.
2. Talvez ele já soubesse de tudo.
3. Talvez eles fossem felizes.
4. Talvez eles viessem mais cedo.
5. Talvez elas pudessem ajudar-nos.
6. Talvez você soubesse a resposta.
7. Talvez pudéssemos sair.
8. Talvez fosse tarde demais.
9. Talve ela estivesse doente.
10. Talvez eles achassem o caminho.

F. Use o Presente do Subjuntivo ou o Imperfeito do Subjuntivo:

1. espere; 2. falasse; 3. permita; 4. disséssemos; 5. dissesse; 6. ame; 7. pudessem; 8. possam; 9. tenham; 10. esqueça; 11. esquecesse; 12. queira.

G. Complete as sentenças:

Sugestões

1. ele entre aqui.
2. nós pudéssemos fazer o trabalho.
3. viessem.
4. faça uma viagem.
5. os conhecêssemos.
6. todos venham à festa.
7. não cheguemos a tempo.
8. você nos ajudasse.
9. o avião partisse com atraso.
10. fiquem aqui até a chuva passar.
11. não entenda o assunto.
12. ninguém queira ir comigo.
13. me expliquem melhor a situação.
14. esqueçam o que disse.
15. eu faça?
16. não chova hoje.
17. não conseguissem o emprego.
18. ela compreenda a situação.
19. as lojas fechassem mais cedo hoje.
20. ele possa colaborar conosco.

Contexto: "Minha insegurança bancária"

(Páginas 176 a 179)

A. Assinale a opção de acordo com o texto:

1. c; 2. d; 3. a; 4. d.

B. Responda:

1. Porque não se conservam em fila, ficam impacientes para serem atendidas.
2. Formar um corredor simbólico, isolado por cordas a uns dois metros de distância do guichê.
3. Não, não é. Ele a tirou dos países por onde andou.
4. O serviço fica mais racional, há mais ordem e evita-se que a conta do cliente fique exposta aos ladrões.
   Não, não tem.
5. O autor pensa que "o cara" do lado é uma pessoa desagradável ou um malandro, observando de quanto é sua conta para poder roubá-lo depois.
6. Ele primeiro observa de quanto é a conta, sai atrás do cliente, assalta-o, falsifica o seu cheque e saca tudo.
7. De certa forma sim, porque o ladrão sabe quanto dinheiro o cliente tem no banco.
8. Resposta pessoal.

Sugestão: O ladrão não precisa falsificar o cheque. Ele pode obrigar o próprio cliente a assinar o cheque.

C. Explique:

1. As pessoas não se importam com nada, ninguém percebe que está incomodando os outros.
2. Um senhor de aparência simpática, honesta.
3. A pessoa do lado.
4. O trabalho seria feito com mais tranqüilidade.

D. Modifique as sentenças usando expressões com dar:

1. Eles voltaram desanimados porque o projeto não deu certo.
2. Não gosto destes bailes porque neles só dá criança.
3. Os artigos desta loja são tão caros que não dá para comprá-los.
4. Ele é tão engraçado que não dá para ficar triste ao seu lado.
5. Com o dinheiro que tenho só dá para comprar um apartamento pequeno.
6. Estamos todos contentes porque nossa idéia deu certo.
7. Eu o avisei mas ele não quis ouvir. Não deu outra: ele perdeu tudo.
8. Por favor, professor, dê uma colher de chá.
9. Você nunca trabalhou direito. Não lhe darei outra colher de chá. Está despedido.
10. O ladrão estava de máscara, por isso não deu para ver seu rosto.

Modo Indicativo

Futuro do Pretérito

(Páginas 179 a 182)

A. Ponha os verbos indicados no Futuro do Pretérito:

2. daria; 3. fecharíamos; 4. entenderia; 5. pareceria; 6. escreveria; 7. abriria; 8. permitiria; 9. uniria; 10. poderia; 11. poderiam; 12. viriam: 13. permitiriam; 14. facilitaria; 15. pagariam.

B. Transforme de acordo com o modelo.

1. Prometi que falaria com você amanhã.
2. Pensei que você gostaria deste hotel.
3. Ele escreveu que me mandaria um presente a semana que vem.
4. Você disse que ele chegaria amanhã.
5. A gente achou que vocês chegariam atrasados.
6. Ela achou que ele lhe daria tudo.

C. Ponha os verbos no futuro do presente ou do pretérito:

1. ajudaria; 2. gostaria; 3. virá; 4. diriam; 5. traria.

D. Transforme as ordens em pedidos. Siga o exemplo:

2. Você poderia me emprestar mil cruzeiros?
   Será que você poderia me emprestar mil cruzeiros?
3. Vocês poderiam me esperar lá fora?
   Será que vocês poderiam me esperar lá fora?
4. Você poderia me passar o açúcar?
   Será que você poderia me passar o açúcar?
5. O senhor poderia me trazer o café e a conta, por favor?
   Será que o senhor poderia me trazer o café e a conta, por favor?
6. Você poderia não fazer barulho?
   Será que você poderia não fazer barulho?
7. O senhor poderia me dizer que horas são?
   Será que o senhor poderia me dizer que horas são?
8. O chefe não está. O senhor poderia passar mais tarde?
   O chefe não está. Será que o senhor poderia passar mais tarde?
9. Estou com calor. Você poderia abrir a janela?
   Estou com calor. Será que você poderia abrir a janela?
10. Estamos atrasados. Você poderia andar mais depressa?
    Estamos atrasados. Será que você poderia andar mais depressa?

E. Complete o quadro:

	Verbo	Substantivo	Adjetivo
1.	rir	a risada	risonho
2.	mentir	a mentira	mentiroso
3.	dificultar	a dificuldade	difícil
4.	enriquecer	a riqueza	rico
5.	empobrecer	a pobreza	pobre
6.	entristecer	a tristeza	triste
7.	corrigir	a correção	correto
8.	ignorar	a ignorância	ignorante
9.	obrigar	a obrigação	obrigatório
10.	aconselhar	o conselho	aconselhável
11.	interessar	o interesse	interessante
12.	alegrar	a alegria	alegre
13.	cansar	o cansaço	cansado
14.	ausentar-se	a ausência	ausente
15.	morrer	a morte	morto
16.	viver	a vida	vivo
17.	habituar	o hábito	habituado, habitual
18.	enfraquecer	a fraqueza	fraco
19.	esquecer	o esquecimento	esquecido
20.	sensibilizar	a sensibilidade	sensível

Texto narrativo: "Manaus"

(Página 185)

A. Responda:

1. Manaus, capital do estado do Amazonas, fica em plena zona equatorial, entre rio e selva. O porto de Manaus está situado às margens do rio Negro, afluente do Amazonas.
2. Durante quilômetros, as águas do rio Solimões correm ao lado das águas do rio Negro, sem se misturarem.
3. Este porto é importante porque foi construído durante o apogeu da extração da borracha natural. Ele é interessante porque sua plataforma oscila com a variação do nível das águas.
4. Com a riqueza trazida pela borracha, Manaus conheceu seu apogeu: foram construídas as grandes obras públicas e seus mais famosos edifícios.
5. — O edifício da Alfândega foi construído na Inglaterra e depois transportado, pedra por pedra, para o Brasil.
   — O teatro de Manaus é em estilo "art nouveau" e suas estátuas e colunas foram esculpidas por artistas europeus.
6. O Museu do Índio guarda objetos utilitários e decorativos do artesanato indígena, inclusive vestimentas e armas para rituais guerreiros e fúnebres.
7. A livre entrada de mercadorias estrangeiras na zona franca de Manaus.
8. A 80 quilômetros de Manaus começa a floresta virgem e pode-se conhecê-la, indo aí de canoa, entrando pelos igarapés.
9. Resposta pessoal.

Unidade 15

Diálogo: "De papo pro ar"

(Páginas 187 e 188)

A. Complete com os verbos nos tempos adequados (Imperfeito do Subjuntivo ou Futuro do Pretérito):

1. recebesse / ficaria
2. parassem / estudariam
3. dormissem / acordariam
4. viajaria / permitissem
5. gostaria / aceitasse
6. ficaríamos / recebêssemos
7. seria / tivesse
8. falasse / ouviria
9. estivesse / ajudaria
10. gostaria / conhecesse

B. Faça sentenças com os verbos indicados:

2. Se eu tivesse dinheiro, compraria um carro novo.
3. Se nós pudéssemos, jantaríamos com vocês.
4. Se estivesse frio, ficaríamos em casa.
5. Se ela estivesse feliz, sorriria.
6. Se você fosse ao médico, sararia.
7. Se fosse verão, iríamos à praia.
8. Se você quisesse, realmente, nos ajudaria.
9. Se ele lesse este livro, gostaria.
10. Se você trabalhasse mais, ficaria rico.

C. Faça sentenças, começando com se:

1. Se você quisesse, eu o ajudaria.
2. Se nós pudéssemos, iríamos vê-lo ainda hoje.
3. Se ele saísse de casa, ficaria mais alegre.
4. Se o senhor dissesse a verdade, poderíamos ajudá-lo.
5. Se eu fizesse o trabalho rápido, sairia mais cedo.

D. Faça sentenças. Não comece com se:

1. Nós perderíamos o trem se não saíssemos mais cedo de casa.
2. Ele compraria um apartamento se vendesse a casa.
3. A gente lhes daria um auxílio se eles fossem mais esforçados.
4. Meu amigo ajudaria neste projeto se conhecesse os problemas da firma.
5. Ela traria sua filha se ela estivesse em férias.

E. Responda oralmente:

1. Se eu fosse milionário, eu viajaria bastante.
2. Se eu fosse um grande jogador de futebol, eu participaria de grandes jogos internacionais.
3. Se eu ganhasse um grande prêmio na loteria eu compraria uma casa na praia e outra na montanha.
4. Se eu tivesse 15 anos, praticaria muitos esportes.
5. Se eu soubesse que o mundo iria acabar amanhã, ficaria ao lado das pessoas de quem gosto.

Verbos irregulares (1)

(Páginas 189 e 190)

A. Complete estas sentenças colocando o verbo no tempo adequado:

1. passeávamos; 2. odeio; 3. semeia; 4. semearão; 5. passeie; 6. penteio; 7. penteie; 8. penteasse; 9. penteemos; 10. penteiem; 11. passeiem; 12 passeemos; 13. constróem; 14. destróem; 15. construa; 16. poluem; 17. destruiu; 18. construa; 19. destróem; 20. substitui; 21. odeie; 22. semearia; 23. estreie; 24. destruiu / reconstruí; 25. estreemos / estrea; 26. passeiem / penteiem.

Verbos irregulares (2)

(Página 191)

A. Complete estas sentenças colocando o verbo no tempo adequado:

1. meço / mede; 2. meça / mediu; 3. vale; 4. valha; 5. valesse; 6. cabe; 7. caibo; 8. caiba; 9. caibam; 10. cabe; 11. coubesse; 12. perco / perde; 13. perdia; 14. perca; 15. perdido; 16. perderia; 17. percamos / perdido; 18. sigo / segue; 19. persiga; 20. prosseguiria; 21. consigo / consegue / consiga.

Contexto: "O gato e a barata"

(Páginas 193 a 194)

A. Enumere as ações da baratinha:

1. A baratinha subiu pelo pé do copo.
2. A baratinha desceu pela parte de dentro.
3. A baratinha começou a lambiscar o vinho.
4. A baratinha caiu dentro do copo.
5. Ela debateu-se.

6. Ela bebeu mais vinho.
7. Ela ficou mais tonta, debatendo-se mais.
8. Bebeu mais / tonteou mais.
9. Quase morria.
10. Deparou com o carão do gato.
11. Pediu ao gato para salvá-la.
12. Prometeu ao gato que deixaria comê-la.
13. A baratinha escorreu do copo com o líquido.
14. Correu para o buraco mais próximo.
15. Caiu na gargalhada.
16. Riu às gargalhadas do gato.

B. Enumere as ações do gato:

1. O gato sorria do alto do copo.
2. O gato perguntou se ele poderia mesmo engoli-la.
3. O gato virou o copo.
4. O gato perguntou se ela não iria cumprir sua promessa.

C. Diga de outra forma e depois empregue três destas palavras em orações:

1. lambiscar — comer ou beber um pouquinho de cada vez.
2. debater-se — lutar contra alguma coisa.
3. deparar — ver-se à frente com alguém ou com alguma coisa.
4. escorrer — derramar um líquido.
5. cair na gargalhada — dar uma grande risada.
6. conter-se — dominar-se.

lambiscar — Você lambisca durante todo o dia, por isso não come direito nas refeições.

deparar — Assim que entrou na sala, deparou com o ladrão.

debater-se — Como não sabia nadar, começou a debater-se assim que caiu na piscina.

— Ele estava preocupado pois debatia-se com um grave problema.

escorrer — Vire o copo a fim de deixar escorrer a água que tem dentro.

cair na gargalhada — Ele sempre cai na gargalhada quando assiste aos filmes de Carlitos.

conter-se — Ela não pôde se conter diante de tanta tristeza e começou a chorar.

D. Responda

1. Não, não caiu logo. Primeiro ficou na parte de dentro do copo, lambiscando o vinho.

2. Porque a distância que vai da boca ao cérebro, nas baratas, é pequena. Assim, o álcool logo lhe subiu à cabeça.
3. Não, ela reagiu, debatendo-se bastante.
4. Porque a baratinha era mais esperta do que o gato.
5. Não, não estava muito bêbada porque ainda conseguia raciocinar.

E. Assinale a alternativa correta:

1. a; 2. a; 3. d; 4. a.

Imperativo

(Páginas 195 a 197)

A. Complete com os verbos indicados no imperativo:

1. feche; 2. andem; 3. coma; 4. beba; 5. transmitam; 6. Venham; 7. Venham / tragam; 8. Vejamos / façamos; 9. sintam / dêem; 10. descubram / façam; 11. Durma; 12 conheçamos.

B. Dê ordens para:

1. Maria, feche a porta.
2. José, tranque a porta.
3. Maria, não saía de casa.
4. Zezinho, durma mais cedo.
5. João, não pague a conta do telefone.
6. Entregue a conta ao diretor.
7. Ponha mais mesas na sala.
8. Traga água para o conferencista.
9. Faça menos barulho.
10. Leia mais baixo.

C. Substitua pelo Imperativo:

2. Não trabalhemos aqui.
3. Reflitam sobre o assunto.
4. Crianças, não vejam este filme.
5. Ofereçamos um chá às nossas amigas.
6. Digam a verdade.
7. Não esqueçamos a festa.
8. Não se sentem nestas poltronas.
9. Não suba as escadas correndo.
10. Cheguemos cedo.

D. Ponha os verbos no Imperativo e substitua os complementos por um pronome (Veja antes a Unidade 6):

2. Ofereça-as.
3. Não a abra.
4. Queiram-no.
5. Aceitem-na.
6. Façam-nas.
7. Tragam-nas.
8. Mande-as.
9. Subam-nas.
10. Façam-nos.
11. Aceite-os.
12. Admitam-nos.
13. Aprendam-na.
14. Dêem-no.
15. Digam-na.

E. Leia atentamente o bilhete de Sofia para suas filhas Ângela e Beatriz:

. . . .

Agora reescreva o bilhete, colocando os verbos grifados no Imperativo.

Ângela e Beatriz:

Vou passar o dia fora. Estou lhes lembrando o que vocês têm para hoje. Primeiro, *façam* suas lições e só depois *brinquem* com suas amigas. Às onze e meia *almocem* e à uma hora *vão* para o colégio. *Fiquem* atentas e *não cheguem* atrasadas. Para isto *vistam-se* e *saiam* com antecedência e *ponham* uma blusa limpa. *Sejam* comportadas durante as aulas e *tenham* todos os deveres prontos.

Chegando do colégio, se quiserem, *vejam* televisão.

Até o jantar. Beijos.

Mamãe.

F. Baseando-se no texto "O Gato e a Barata", ponha as orações abaixo no Imperativo:

1. Baratinha, suba pelo pé do copo, desça pela parte de dentro e lambisque o vinho.
2. Gatinho, salve-me.
3. Que é isso, baratinha, saia já daí.
4. Gatinho, não seja tão imbecil.
5. Gatinho, não acredite em barata velha e bêbada.

G. Complete o quadro:

Substantivo	Adjetivo
1. a força	forte
2. a beleza	belo
3. a saúde	saudável
4. a feiura	feio
5. a verdade	verdadeiro
6. a solidão	sozinho
7. a importância	importante
8. a felicidade	feliz
9. a delicadeza	delicado
10. a largura	largo
11. a altura	alto
12. o comprimento	comprido

Intervalo: "A banda"

(Página 199)

Responda:

1. A cidade estava triste.
2. O homem sério contava dinheiro, a namorada contava as estrelas e o faroleiro contava vantagens.
3. A meninada ficou entusiasmada ao ver a banda passar.
   A moça triste sorriu.
   O velho fraco esqueceu-se da dor e, sentindo-se jovem outra vez, foi para o terraço e dançou.
   A moça feia achou que a banda tocava para ela.
   A lua cheia apareceu.
   A rosa se abriu.
   O povo enfeitou-se, esqueceu-se da dor e cantou.
4. Tudo retomou seu lugar: a dor e a tristeza voltaram.

Texto narrativo: "O carnaval"

(Páginas 201 e 202)

A. Responda:

1. O carnaval tem lugar durante os três dias que antecedem à Quaresma.

2. O entrudo, de origem européia, era uma festa popular de que participava todo o povo, jogando água, farinha de trigo e polvilho uns nos outros.
3. Como o entrudo foi proibido, as festas foram levadas para os bailes de salão.
4. São: o cordão, os corsos que são um enorme desfile de carros, levando foliões fantasiados, o Trio Elétrico, o frevo e os desfiles de escolas de samba.
5. O "Zé Pereira" foi o primeiro cordão de rua, iniciado em 1846, e que saía pelas ruas das cidades, com tambores e bumbos, fazendo muito barulho.
6. O confete e a serpentina.
7. As escolas de samba vieram do morro carioca.
8. Os elementos das escolas de samba, povo simples e pobre, manifestam sua ilusão vestindo-se de reis, rainhas, damas antigas, generais, índios.
9. A expressão "o samba pede passagem" — quer dizer que a escola, que desceu o morro, vai agora desfilar pela avenida. Ela está avisando, pedindo passagem — o desfile vai começar.
10. Resposta pessoal.

Unidade 16

Diálogo: "Queremos entrevistá-lo"

(Páginas 205 a 207)

A. Dê o Futuro do Subjuntivo a partir da 3.ª pessoa do plural do Perfeito do Indicativo:

1. beberam — beber
2. conseguiram — conseguir
3. saíram — sairmos
4. puseram — puserem
5. disseram — disserem
6. foram — formos
7. vieram — vier
8. viram — vir
9. acabaram — acabarmos
10. fizeram — fizerem

B. Complete com o Futuro do Subjuntivo:

1. quiser; 2. entrar; 3. pudermos; 4. quiser; 5. tivermos; 6. der; 7. souber; 8. couber; 9. chegar; 10. estiverem; 11. estiver; 12. for; 13. ouvirem; 14. fizer / chover; 15. pedirem; 16. viermos; 17. estiver; 18. fizermos; 19. vir; 20. fecharmos; 21. puder.

C. Complete com o Futuro do Subjuntivo:

1. puder; 2. chegar; 3. mandarem; 4. quiserem; 5. estiver; 6. estiver; 7. der; 8. disserem; 9. pagarem; 10. trouxerem.

D. Complete as sentenças com expressões deste tipo: "Aconteça o que acontecer..."

1. Seja / for
2. Doa / doer
3. Haja / houver
4. Dê / der
5. Vá / for
6. Faça / fizer
7. esteja / estiver
8. Chova / chover
9. seja / for
10. digam / disserem
11. custe / custar

E. Responda às seguintes perguntas. Use sentenças do tipo: "Aconteça o que acontecer..."

2. Custe quanto (o que) custar, eu o comprarei.
3. Haja o que houver, ...
4. Doa a quem doer, ...
5. Seja o que (quem) for, ...
6. Esteja onde estiver, ...
7. Aconteça o que acontecer, ...
8. Custe o que custar, ...
9. Doa a quem doer, ...

Colocação do pronome átono

(Páginas 208 a 210)

A. Coloque o pronome corretamente.

1. Não lhe telefonei ontem.
2. Diga-me o que sabe.
3. Dei-as para meu melhor amigo.
4. Nunca se esqueça do que lhe dissemos.
5. Alguém se sentou na minha cadeira.
6. Quando me chamaram, já era tarde.
7. Dar-lhe-ia tudo para que dissesse a verdade.
8. Tudo lhe daria para que me dissesse a verdade.
9. Far-lhes-ei alguns favores.
10. Não lhes farei nenhum favor.
11. Embora nos conte muita coisa, ele não nos conta tudo.
12. Peço-lhe que me ouça.

B. Substitua as palavras grifadas por um pronome e coloque-o corretamente na oração:

1. Infelizmente não o podemos ajudar / não podemos ajudá-lo.
2. Fiz tudo para destrui-las.
3. Vê-lo-emos alegre.
4. Levá-la-ei comigo.
5. Deixá-los-emos na gaveta.
6. Escrevê-la-emos amanhã.
7. Não as mandaremos hoje.
8. Você sabia que a recusei?
9. Se as levarmos, não teremos sossego.
10. Conte-nos tudo.
11. Tudo lhes será negado.
12. Nada lhe posso dizer.
13. Queremo-las agora.
14. Vimo-los correndo.
15. Escutamo-la três vezes.
16. Os convidados beberam-na toda.
17. Vocês os deram / deram-nos a João?
18. Consegui trocá-la.
19. Quero lê-lo mais uma vez.
20. Precisamos completá-lo agora.

Contexto: "Natal"

(Páginas 211 a 213)

A. Responda:

1 Não há movimento nas ruas porque as pessoas geralmente comemoram o Natal dentro de casa.

2. Para pegar gelo para seu uísque.
3. O autor pensou que era um amigo seu quem estava buzinando. O lixeiro viera até ali para ver a mulata.

B. Escolha a melhor alternativa:

1. d; 2. b; 3. c.

C. Descubra no texto as passagens que afirmam que:

1. Há nele uma sombra dolorosa / ... no fundo da paisagem escura e desarrumada desse ano ...
2. Penso, sem ... mágoa, no ano que passou.
3. ... o motorista retardatário ...
4. ... uma jovem mulata de vermelho, sempre a cantarolar ...
5. ... parte com ruído, estremecendo a rua.
6. ... uma clara mancha de sol.
7. Está tão carregado que nem se pode fechar.
8. Mas a frustração do lixeiro e a minha também quebraram o encanto solitário da noite de Natal.
9. ... bebendo gravemente em honra de muitas pessoas.
10. ... a janela permanece fechada ...
11. Sinto uma grande ternura pelas pessoas ... / Volto à minha paz.

D. Explique:

1. Pelo telefone, mando um abraço aos amigos.
2. É um espaço cheio de folhagens e flores de várias cores.
3. É o habitante do campo.
4. A combinação de cores muito vivas como o verde, o vermelho e o amarelo, bem ao gosto simples dos caipiras, é alegre.
5. São vozes de amigos, são vozes calorosas.
6. Entro dentro de casa. Vou à cozinha.
7. Vou participar de uma alegre ceia de Natal, sem ter sido convidado.

E. Com o auxílio do prefixo des, diga o contrário:

2. desarrumada; 3. descarregar; 4. descubra; 5. desempacotar; 6. desamarrem; 7. desmontar; 8. desapareceu; 9. desfazer; 10. desajustada; 11. desrespeitam; 12. desorientada; 13. despenteada; 14. despoliciada; 15. desligue; 16. desempregado.

Preposições

(Páginas 213 e 214)

A. Complete:

1. com / sem a tripulação completa.
sem mim

com / sem / após muita demora
sob uma chuva de confetes
de / para Lisboa

2. a pé
de automóvel
de avião
com / sem atraso
desde ontem
sob / após / durante / com forte chuva

3. até amanhã
por / durante — segundo / conforme
sem / por mim
com toda a família
para / sem trabalhar
em silêncio
contra / por / segundo / conforme minha vontade
com / sem a família

B. Complete com uma preposição simples:

1. a / para / por / perante / de / em / sobre / contra / com
2. desde
3. para / com / sem / de
4. sem
5. após
6. de
7. com
8. durante
9. com / contra
10. perante / ao
11. por / com / sem
12. exceto
13. conforme / segundo / contra
14. com / sob — com
15. sob / sem

Locuções prepositivas

(Páginas 215)

A. Complete com uma locução prepositiva, combinada ou não com artigo:

1. apesar da chuva;
antes da / depois da / por causa da;
embaixo de.

2. além das / ao lado das / antes das / em cima das
longe das / perto das / depois das / junto às montanhas;
além do / ao lado do / antes do / longe do / perto do /
depois do / junto ao rio;
além de / ao lado de / antes de / longe de / perto de
depois de / junto a uma grande floresta.

B. Complete com uma locução prepositiva:

1. ao lado dos / longe dos / perto dos / junto dos / junto aos
2. antes de
3. de acordo com
4. em cima da / embaixo da; em cima dos / embaixo dos; perto do / embaixo do / junto do / junto ao
5. antes do
6. em vez de
7. apesar da
8. além de
9. por causa de
10. perto de / junto a

Contração das preposições
(Páginas 216 e 217)

A. Craseie, se necessário:

1. à festa
2. à peça
3. à aluna
4. à rua
5. a moeda / à menina
6. à montanha
7. à atriz
8. à casa da amiga
9. à aluna
10. à mãe

B. Craseie, se necessário:

1. a subir
2. à espera
3. à sala
4. às margens
5. à esquerda
6. à tarde
7. gota a gota
8. a cavalo, às primeiras horas
9. a ficar / à janela
10. frente a frente
11. a Europa / à Suiça
12. a ela
13. a vida / a pesquisas
14. a vida / às pesquisas
15. a advertências

C. Complete o quadro:

a bananeira	a goiabeira	o abacateiro
o pessegueiro	o cajueiro	a ameixeira
a pereira	a figueira	o coqueiro
a jabuticabeira	a mangueira	

Intervalo: "Poeminhas cinéticos"
(Página 218)

Responda:

1. Ele saiu do botequim com soluço, com passos irregulares.
2. Porque ele estava bêbado.
3. Com passos firmes / normalmente
4. Ele veio rolando pela escada abaixo.

Texto narrativo: "O Brasil do açúcar e do café (1)"

A. Responda:

1. O nome Brasil se originou do nome de um tipo de árvore, o pau-brasil, muito abundante no litoral brasileiro, do Nordeste até o Sul.
2. Não, porque, antes de ser produzida em grande escala no Brasil, a cana era um produto raro e exótico.
3. Porque foi no litoral nordestino que a cana-de-açúcar encontrou as condições ideais para seu cultivo.
4. O senhor de engenho era o proprietário da fazenda; casa-grande era a residência do senhor de engenho e de sua família; a senzala era a habitação dos escravos — uma única peça onde se amontoavam todos eles, sem distinção de idade e de sexo; a casa do engenho, formada pela moenda, pelas fornalhas e pela casa de purgar, era o local de produção do açúcar.
5. Os negros escravos no engenho levavam uma vida dura e difícil — trabalhavam desde o nascer do sol até à noite e dormiam promiscuamente na senzala.

Unidade 17

Diálogo: Eu também teria desistido. . ."

(Páginas 222 a 225)

A. Responda a estas perguntas usando o Perfeito Composto (tenho falado):

1. tenho trabalhado
tenho ficado
tenho vendido
tenho atendido
tenho dormido
tenho assistido
tenho descansado
tenho ido
tenho feito
tenho gasto
tenho ganho
tenho vindo

2. temos falado
temos escrito
temos visto
temos aberto
temos posto
temos estado
temos tido
temos feito
temos visitado
temos comido e dormido
temos feito
temos ouvido

B. Passe para o singular:

1. Ultimamente eu só tenho me aborrecido com você.
2. Nesses últimos tempos ele só tem reclamado.
3. Ultimamente eu tenho me preocupado muito com a fábrica.
4. Ele tem-se encontrado com o amigo diariamente.
5. Você tem-se mostrado bom amigo.

C. Perfeito Simples ou Perfeito Composto? (falei — tenho falado)

1. viemos.
2. tem vindo
3. tenho perdido
4. perdeu
5. fez
6. tem feito

D. Complete com o Futuro do Presente Composto (terei falado). Faça a pergunta antes de dar a resposta.

2. Você vai estar livre às 3?
Vou. Às três eu já terei falado com o diretor.
3. Você vai estar livre à noite?
Vou. À noite eu já terei escrito todas as cartas.
4. Você vai estar livre à tarde?
Vou. À tarde eu já terei lido todos os relatórios.
5. Você vai estar livre à noitinha?
Vou. À noitinha eu já terei dado a última aula.
6. Você vai estar livre no fim de semana?
Vou. No fim de semana eu já terei estudado tudo para a prova.

7. Você vai estar livre às 8 e meia?
   Vou. Às 8 e meia o avião já terá partido.
8. Você vai estar livre depois do jantar?
   Vou. Depois do jantar ele já terá ido embora.
9. Você vai estar livre às 7?
   Vou. Às 7 meu patrão já terá fechado a loja.
10. Você vai estar livre na hora do almoço?
   Vou. Na hora do almoço a reunião já terá acabado.

E. Complete com o Futuro do Presente Composto:

1. terei conhecido
2. teremos visto
3. terá recebido
4. terá gasto
5. terão vindo
6. terá feito
7. terei posto
8. terão aprendido
9. teremos recuperado
10. terei conseguido
11. terei lido
12. terá chegado

F. Complete com o Futuro do Pretérito Composto (teria falado):

1. teria chegado
2. teríamos ficado
3. teria sido
4. teria feito
5. teria conseguido
6. teria aberto
7. teria posto
8. teria convencido
9. teria sarado
10. teriam obedecido
11. teriam perdido
12. teria saído
13. teria visto
14. teríamos viajado
15. teria descoberto

G. Responda a estas perguntas:

1. Eu teria ... (Eu teria comprado um bom apartamento.)
2. Eu teria ... (Eu teria passado o dia no clube.)
3. Eu teria ... (Eu teria inventado um outro combustível.)

Contexto: "Sua melhor viagem de férias começa em casa"

(Páginas 226 a 228)

A. De acordo com o texto, corrija, se necessário. Justifique a correção.

1. A multidão vai sempre ao mesmo lugar, ao mesmo tempo, por uma estrada que não é a melhor, porque ninguém planeja sua viagem antes.
2. Porque o Brasil é um país de grandes distâncias, é realmente necessário planejar a viagem para poder aproveitá-la bem.
3. Certo.
4. Certo.
5. Certo.

6. De engano em engano, você continua sua viagem de férias. Já em casa, você descobre que deixou de aproveitar o melhor dela.

B. Destaque do texto os adjetivos no comparativo e superlativo. Classifique-os.

Comparativo

— (Planejar a viagem é) tão importante quanto (viajar)
— melhor (infra-estrutura)

Superlativo

— (estrada que não é) a melhor
— (hotel) caríssimo
— o melhor (da viagem)
— as melhores (atrações)
— o pior (possível)

C. Diga de outra forma:

1. Não receie sair/não tema sair/Não tenha receio de sair
2. Não tenha medo de surpresas/Não receie surpresas/Não tenha receio de surpresas
3. Não desperdice seu tempo/Poupe seu tempo
4. Não desperdice dinheiro/Poupe seu dinheiro
5. Façam planos de viagem/Organizem sua viagem
6. Organizem/Preparem sua viagem cuidadosamente

D. Explique:

1. atrações de menor importância
2. voltas desnecessárias
3. deixar de visitar lugares diferentes uns dos outros — uma grande vantagem
4. a estrada não podia ser pior
5. importante principalmente neste país tão grande
6. de erro em erro

E. Transforme as orações:

1. Você não teve dificuldade alguma.
2. Ele não convidou amigo algum.
3. Nós não tivemos chance alguma no concurso.
4. Meus parentes não me mandaram notícia alguma.
5. Fiz tudo sem ajuda alguma.
6. Sócio algum teve lucro neste negócio.
7. Hoje não atenderei cliente algum.
8. Jornal algum deu a notícia.
9. Resposta alguma está certa.
10. Plano algum deu certo.

F. Continue a conversa usando deixar de em suas orações:

Sugestões

2. Porque deixei de trabalhar.
3. Porque deixou de amá-lo.
4. Lógico! Você não pode deixar de falar com ele.
5. Ela não deixou de cuidar de sua aparência/de cuidar-se.
6. Não, ela deixou de trabalhar aqui há um ano.
7. Claro! Não deixe de levá-lo.
8. Não, ele deixou de visitar alguns países.
9. Não, ele deixou de estudar há três meses.
10. Porque você deixou de dar-lhes água/de regá-las.

Tempos Compostos do Subjuntivo

(Páginas 229 a 233)

A. Complete com o Perfeito do Subjuntivo (tenha falado):

1. tenha acabado
2. tenha perdido
3. tenham mentido
4. tenha tomado
5. tenham chegado
6. tenha pago
7. tenha vindo
8. tenha sido
9. tenha vendido
10. tenha escondido
11. tenha visto
12. tenha aproveitado
13. tenha pegado
14. tenha podido
15. tenhamos tomado
16. tenham feito
17. tenha desistido
18. tenha levado
19. tenhamos ofendido

B. Complete com o Mais-Que-Perfeito do Subjuntivo (tivesse falado):

1. tivessem vindo
2. tivessem ido
3. tivesse escrito
4. tivessem dito
5. tivessem ficado — tivesse convidado
6. tivesse insistido
7. tivesse visto
8. tivessem chegado
9. tivesse desistido
10. tivesse comprado

C. Desenvolva a oração dependente usando o Mais-Que-Perfeito do Subjuntivo:

Sugestões

2. Se a gente tivesse falado com ele, a gente teria resolvido o problema.
3. Se você tivesse ido de avião/Se você tivesse tomado um avião, você já estaria lá.
4. Se nós não tivéssemos autorização, nós não teríamos entrado.
5. Se tivesse chovido, o pique-nique teria sido um fracasso.
6. Se nós tivéssemos tido jeito/Se nós tivéssemos agido com habilidade, nós teríamos conseguido um desconto.

7. Se tivesse feito sol, a gente teria ido ao clube.
8. Se ele tivesse tomado um bom xarope, ele já teria acabado com esta tosse.
9. Se eu não tivesse tido sua ajuda/Se você não me tivesse ajudado, eu não teria feito o que fiz.
10. Se tivesse dependido de nós, tudo teria sido diferente.

D. Complete com o Futuro Composto do Subjuntivo (tiver falado):

1. tiverem acabado
2. tiverem acabado
3. tivermos ganho
4. tiver seguido
5. tiver feito
6. tivermos escrito
7. tiver posto
8. tivermos feito
9. tivermos consertado
10. tiver fechado
11. tiverem consultado
12. tiverem gostado
13. tiverem visto
14. tivermos conhecido
15. tivermos conhecido

E. Complete com o Mais-Que-Perfeito do Subjuntivo (tivesse falado) ou com o Futuro Composto do Subjuntivo (tiver falado):

tiver terminado
tiver concluído
tivesse sabido
tivesse tido
tiver feito

F. Desenvolva a oração dependente usando o Futuro Composto do Subjuntivo (tiver falado):

2. Quando eu tiver escrito a carta, eu a mandarei.
3. Quando nós tivermos feito as compras, poderemos ir para casa.
4. Quando você tiver feito as contas, verá que nosso lucro é pequeno.
5. Quando a gente tiver acabado a reunião, a gente irá embora.
6. Quando nós tivermos comprado as passagens, poderemos tomar o trem.
7. Quando nós tivermos feito os cálculos, poderemos dar nosso preço.
8. Quando nós tivermos posto a mesa, poderemos almoçar.
9. Quando o dentista tiver atendido o último cliente, fechará o consultório.
10. Quando eu tiver terminado os exames, terei tempo para viajar.

G. Repita o exercício F oralmente. Ao invés de quando, use depois que ou assim que.

Exemplos:

1. Depois que/Assim que vocês tiverem lido o livro, farão o resumo.
2. Depois que/Assim que você tiver escrito a carta, eu a mandarei.

H. Complete as orações com tempos compostos do Subjuntivo (tenha falado, tivesse falado, tiver falado):

2. Quando eu tiver acabado ...(Sugestão: meu trabalho), falarei com ele.
3. Embora não tivesse recebido ... (muito dinheiro), fiquei contente.
4. Embora eu não tenha conseguido ... (convencê-lo) não vou desistir.
5. Mesmo que tivesse insistido ... (muito), não teria conseguido nada.
6. Tomara que ... (eles) tenham chegado ... (bem).
7. Volte para casa assim que tiver concluído ... (seu trabalho).
8. Embora ele tenha feito ... (muito sucesso), ninguém se lembra dele.
9. Embora ela tenha se sentado ... (na platéia), ninguém a reconheceu.
10. Quando ... (eles) tiverem distribuído ... (os prêmios), irei embora.
11. É possível que ... (você o) tenha visto.
12. Telefone-me quando tiver recebido ... (notícias).
13. Embora já tenha entendido ... (a explicação), ela continua fazendo perguntas.
14. Sinto que ... (você) tenha perdido ... (seu tempo).

I. Complete os quadros:

3. tradutor
4. pintor
5. inventor
6. escultor
7. administrador
8. diretor
9. cobrador
10. comprador
11. vendedor
12. pagador
13. ganhador
14. perdedor

3. carteiro
4. banqueiro
5. jornaleiro
6. fazendeiro
7. pedreiro
8. sapateiro
9. cozinheiro
10. costureiro
11. hoteleiro
12. porteiro

2. dentista
3. tenista
4. pianista
5. violinista
6. violonista
7. artista
8. massagista
9. motorista
10. sambista

Intervalo

(Página 237)

A. Responda:

Ronda

1. Ela procura seu namorado/o homem por quem está apaixonada/o homem que ela ama. Ela o procura nos bares da avenida São João, em S. Paulo.

2. Um dia ela o encontrará num bar da avenida São João, bebendo com outras mulheres e jogando dados ou bilhar.
3. Ela o matará nessa ocasião. Ela o assassinará nessa ocasião.
4. A notícia desse crime será publicada na primeira edição de um jornal.

Quem te viu, quem te vê

1. Você mudou muito/Você já não é a mesma pessoa de antigamente.
2. Cabrochas — alas — mestre-sala

Cabrochas: mulatas jovens que, em grande número, integram as escolas de samba.

Alas: cada escola de samba desfila com seus participantes distribuídos em várias alas. Cada ala tem sua própria fantasia.

Mestre-sala: é figura de destaque no desfile de escola de samba. Ele faz par com a porta-estandarte (a moça muito graciosa que dança levando a bandeira da escola).

Garota de Ipanema

1. Trata-se de uma garota muito jovem, muito bonita e graciosa. Queimada de sol, ela passa sozinha, andando devagar, num ritmo agradável.
2. Quando ela passa, o mundo inteiro fica mais bonito.
3. O ritmo da música lembra o passo cadenciado e sem pressa da garota.

Texto narrativo: "O Brasil do açúcar e do café (2)"

(Página 238)

A. Responda:

1. No Vale do Paraíba desenvolveram-se grandes culturas de café, dando origem a diversas cidades como Pindamonhangaba, Taubaté, Guaratinguetá e São José dos Campos.
2. A terra-roxa, por ser fertilíssima, atraiu a cultura do café para o sertão paulista, acelerando a decadência do Vale do Paraíba e propiciando o aparecimento de grande número de fazendas, estradas-de-ferro e grandes cidades como Campinas e Ribeirão Preto.
3. Porque, à medida que evoluía o processo da abolição da escravatura, a mão-de-obra escrava foi sendo substituída pelo trabalho dos imigrantes.
4. Os italianos foram os primeiros imigrantes a chegar a São Paulo. Sua adaptação foi fácil.
5. Os "barões do café" eram os grandes fazendeiros brasileiros e, principalmente, italianos, que acumularam fortunas fabulosas e viviam como verdadeiros nobres abastados, graças aos lucros obtidos com o cultivo do café.

6. Os "barões" construíam suas residências com grande luxo. O estilo variava.
   Para a execução da obra, contratavam artistas na Europa e, muitas vezes, importavam grande parte do material de construção. Essas mansões podiam ser vistas ao longo de toda a avenida Paulista e em outros pontos nobres da cidade.
7. A cidade, até então acanhada, desenvolveu-se.
8. A avenida Paulista surgiu da riqueza trazida pelo café.
9. As luxuosas mansões dos "barões do café" cederam lugar a imensos edifícios, muitos deles sedes de bancos.
10. Porque transformou a economia, antes apoiada nos engenhos de açúcar do Norte e Nordeste e na mineração do ouro em Minas. A riqueza trazida pelo café fez nascer a indústria paulista.
    O café trouxe também mudanças sociais. Entre outras, podemos citar as mudanças sociais conseqüentes da imigração italiana (introdução de novos hábitos, tradições e costumes).

Unidade 18

Diálogo: "Como? Fale mais alto!"

(Páginas 241 a 243)

A. Passe para o discurso indireto:

2. Eles dizem que vão assistir à televisão hoje.
   Eles disseram que iam assistir à televisão hoje.
3. A meteorologia anuncia que hoje vai chover.
   A meteorologia anunciou que hoje ia chover.
4. O jornaleiro diz que não tem mais jornal.
   O jornaleiro disse que não tinha mais jornal.
5. O aluno diz que não está entendendo.
   O aluno disse que não estava entendendo.
6. O meu chefe diz que eu fiz tudo errado.
   O meu chefe disse que eu tinha feito tudo errado.
7. O nosso chefe diz que nós fizemos tudo errado.
   O nosso chefe disse que nós tínhamos feito tudo errado.
8. João me diz que viu meu irmão no cinema.
   João me disse que tinha visto meu irmão no cinema.
9. Nosso professor diz que amanhã nós faremos tudo de novo.
   Nosso professor disse que amanhã nós faríamos tudo de novo.
10. Ela avisa que isso não vai dar certo.
    Ela avisou que aquilo não ia dar certo.

B. Passe para o discurso indireto:

2. Os candidatos perguntaram se podiam esperar fora.
3. O marido quis saber quanto tinha custado o conserto da máquina.
4. O funcionário perguntou-me onde eu morava.
5. Meu filho perguntou se a gente ia a pé até lá.
6. A balconista perguntou-me o que mais eu desejava.
7. Mariana perguntou-nos se nós tínhamos visto seu guarda-chuva.
8. A moça quis saber o que André faria então.
9. O guia perguntou aos turistas se eles já tinham estado lá antes.
10. O barbeiro perguntou de quem era a vez.

C. Passe para o discurso indireto:

1. A mãe disse para o menino tirar o cotovelo da mesa.
2. O dentista falou para a mocinha ficar quieta e não fechar a boca.
3. A mãe disse para o menino ser mais amigo do Luís.

4. O diretor pediu-me para trazer-lhe a correspondência depois.
5. Carolina disse-me para estar lá às 5 horas.
6. Luísa aconselhou-me a ter paciência.
7. Eu disse à Teresa para não pôr os documentos na pasta.
8. Otávio disse para Geraldo não perder as esperanças.
9. Carlos disse para Cristina não vir muito tarde.
10. João chamou a mulher para ver o que ele tinha feito.

E. Passe o diálogo para o discurso indireto:

O capitão Rodrigo, tomando seu terceiro copo, disse que garantia que estava gostando daquele lugar. Ele disse, também, que, quando tinha entrado em Santa Fé, tinha pensado lá consigo que podia ser que só passasse lá uma noite, mas também podia ser que passasse o resto da vida...
Um cheiro de linguiça frita espalhava-se no ar.
Rodrigo sorriu e começou a bater com a mão no balcão, perguntando ao amigo Nicolau se aquela linguiça vinha ou não vinha.
Do fundo da casa, o vendeiro respondeu/pediu a Rodrigo que tivesse paciência (para ter paciência).

F. Cebolinha em "O Carrinho"

Vendo Cebolinha num carrinho novo, Mônica disse que este era muito bonito e perguntou-lhe de quem era. Cebolinha respondeu que era dele. Então Mônica pediu para Cebolinha levá-la para dar uma volta.
Cebolinha explicou-lhe que no carrinho só cabia um. Mônica afirmou que esse único lugar era o dela.
Cebolinha, aborrecido, saiu do carrinho e Mônica, toda contente, sentou-se nele, perguntando ao menino como funcionava. Cebolinha disse-lhe que era preciso empurrar. Mônica, muito brava, perguntou-lhe o que é que ele estava esperando e mandou-o empurrá-lo.

Voz ativa — Voz passiva

(Páginas 245 a 250)

A. Passe para a voz passiva:

1. Este programa é ouvido por ela.
2. Suas contas são pagas em dia (por ele).
3. As chaves são postas na gaveta por nós.
4. Os papéis foram postos no armário por nós.
5. João era considerado por nós nosso melhor amigo.

6. Entrevistas não eram dadas pelo Presidente.
7. A carta será escrita por nós amanhã.
8. O possível será feito por mim.
9. Nenhuma notícia foi recebida por nós até agora.
10. As horas extras não foram cobradas por mim.
11. O problema não seria entendido por ninguém.
12. Ele não seria ajudado por ninguém.
13. Os rapazes têm sido vistos por você?
14. O ladrão tem sido procurado pela polícia.
15. As tarefas já tinham sido terminadas por ela.
16. O Artur já tinha sido visto antes por nós.
17. Quero que as minhas perguntas sejam respondidas por vocês.
18. Exigimos que os relatórios sejam entregues por eles.
19. Lamentei que minhas palavras não fossem entendidas por ele.
20. Pedi que uma explicação fosse dada pelo professor.
21. Ficarei contente se um dia uma explicação for dada (por alguém).
22. Quando o ladrão for preso pela polícia, teremos sossego.
23. Ele é muito respeitado por nós.
24. Bilhetes de loteria têm sido comprados por mim.
25. Tudo será dito por mim agora.
26. Esse carro seria consertado por ele em dois minutos.
27. A última prova ainda não tinha sido feita por mim.
28. Os documentos são guardados pelas secretárias nos arquivos.
29. Duvido que tudo seja feito por você.
30. Ele foi levado para casa pelos amigos.
31. Amanhã as encomendas serão trazidas por mim.
32. Dê um recibo, quando o pacote for trazido por ele.

B. Passe para a voz passiva:

1. Sinto muito. Nada pôde ser feito.
2. Ele tem de ser bem recebido por vocês.
3. Estas crianças não devem ser enganadas por nós.
4. O trabalho precisa ser feito rapidamente por nós.
5. As árvores devem ser protegidas pelo povo.
6. O escritório será pintado por nós amanhã.
7. Tomara que o bilhete seja lido por ele.
8. A porta deve ser trancada por você.
9. Talvez o acidente pudesse ser explicado por ele.
10. Não quero que o contrato seja assinado por você.

C. Complete este aviso. Use sempre a voz passiva.

foi aumentado
serão entregues
ser obtidas

D. Complete com o tempo adequado. Use a voz passiva:

1. foi convidado
2. será vendido
3. foi feito
4. seria recebido
5. são aumentados
6. eram feitos
7. está sendo dada
8. sejam feitos
9. foi sacudida
10. for informado
11. tinha sido avisado
12. estava sendo posta
13. tem sido visto
14. tivesse sido resolvido
15. for dada

E. Substitua pela voz passiva com se:

1. Aluga-se uma casa na praia.
2. Admitem-se motoristas.
3. Dá-se informação.
4. Dão-se informações.
5. Procura-se uma datilógrafa.
6. Alugam-se duas salas.
7. Perdeu-se um cão.
8. Perderam-se todos os documentos.
9. Pede-se silêncio.
10. Fala-se português aqui.
11. Mandam-se cartas pelo Correio.
12. Consertam-se móveis.
13. Atendem-se os clientes às 7 horas.
14. Ensinou-se português.
15. Viu-se tudo aqui.

F. Sublinhe o verbo na oração e classifique-o no quadro ao lado, como se pede:

2. tinham lido — voz ativa — Ind. Mais-Que-Perf. Composto
3. calculara-se — voz passiva — Ind. Mais-Que-Perf. Simples
4. teria desapropriado — voz ativa — Ind. Fut. do Pret. Composto
5. avistavam-se — voz passiva — Ind. Imperfeito
6. plantou-se — voz passiva — Ind. Perfeito
7. aceitaram — voz ativa — Ind. Perfeito
8. se vestiu — voz ativa — Ind. Perfeito
9. necessita-se — voz ativa — Ind. Presente
10. observem-se — voz passiva — Imperativo
11. tinham sido desligados — voz passiva — Ind. Mais-Que-Perf. Composto
12. tenha entendido — voz ativa — Subjuntivo Perf.

G. Tomando a palavra televisão como centro de ação, faça uma série de orações, nas vozes ativa e passiva, empregando os seguintes verbos: comprar, ver, vender, desligar, consertar, trocar, regular.

Sugestões

— Não se vêem bons programas na televisão.

— Você ligou a televisão?
— Nossa velha televisão branco e preto foi trocada por uma nova colorida.
— A imagem de sua televisão precisa ser regulada.

O mesmo exercício, com a palavra livro:

— Pouca gente leu este livro.
— Embora longo, este livro foi escrito em poucos meses.
— Compram-se livros usados.
— Emprestei alguns livros a meu vizinho.
— Livros bons são sempre bem vendidos.
— O seu livro nunca foi publicado.
— Guardavam-se livros no porão.
— Perdeu-se uma coleção de livros antigos.
— Gosto de dar bons livros de presente.
— Não critique livros que você ainda não leu.

O mesmo exercício, com a palavra casa:

— Vamos comprar uma casa maior.
— Aquela casa foi alugada por uma família japonesa.
— Depois que foi vendida, a casa foi demolida.
— Preciso pintar minha casa.
— Reformam-se casas velhas.
— Queremos aumentar o terraço de nossa casa.
— Constróem-se casas populares.
— Depois de terminada a construção, a casa será decorada.

H. Passe da voz passiva para a voz ativa:

1. Todos os presentes aceitaram as condições propostas.
2. Eles nos acolheram carinhosamente na festa.
3. Um grupo de especialistas fará o trabalho.
4. O chefe do departamento consideraria a situação.
5. Todos os jornais tinham publicado a notícia.
6. Nós poderemos aceitar todos os candidatos.
7. Ninguém nos viu.
8. Eles a confundiram com uma grande atriz.
9. Qualquer pessoa daqui o orientará.
10. Eles venderam muitos livros ontem.
11. Eles iniciaram a reunião com muito atraso.
12. Nós vendemos estas lojas.
13. Eles encerraram as inscrições ontem à tarde.
14. Depois da festa, eles recolheram todo o material jogado no chão.
15. Naquele dia nós entrevistaríamos os últimos candidatos.

Contexto: "Divertimento"

(Páginas 252 e 253)

A. Responda:

1. Escavação no eixo da rua, retirada de encanameito antigo e colocação do novo e, finalmente, cobertura do buraco e asfaltamento.
2. A gente de ouvido melindroso.
3. A rua é devolvida às crianças, que nela brincam despreocupadas e alegres.

B. Certo ou errado?

1. Certo
2. Certo
3. Errado
4. Errado
5. Errado
6. Errado
7. Certo

C. Explique:

1. atração sem igual
2. Se o operário não prestar atenção, poderá perder o pé.
3. meninos que vivem em apartamentos
4. esta rua fica quase no mar
5. a rua novamente cheia de crianças brincando
6. pulos, empurrões, quedas, pás, gritos, construções
7. rua em desordem, desorganizada

D. Encontre no texto a palavra ou expressão equivalente a:

1. bagunça
2. gurizada
3. ninguém se farta de
4. a vala foi aberta com a colaboração da gurizada.
5. bocós envergonhados.
6. Os meninos somem lá dentro.

E. Diga de outro modo:

1. É bom que vocês tomem o primeiro avião.
2. É bom que vocês venham direto para cá.
3. É bom virem diretamente para cá.
4. As crianças, instintivamente. viram que era para elas.
5. A feira funciona semanalmente.
6. Telegrafe a ele para vir.

F. Dê a outra forma da voz passiva:

1. O buraco já foi tapado.
2. Dispuseram-se tubos de cada lado da rua.
3. Caçadas são organizadas.
4. As barracas são armadas na calçada.

G. **Imagine que você mora em Copacabana e que a cena narrada pelo avô se passa sob sua janela. O barulho das obras e da criançada o irrita profundamente. Descreva, em poucas linhas, a cena e a sua reação diante dela.**

Não tenho mais sossego desde que as obras para colocação de novo encanamento foram iniciadas em minha rua. O ar treme com o barulho da perfuratriz. Há buracos, terra e desordem em toda parte. O barulho do trânsito foi substituído pelos gritos das crianças que correm, se empurram e se sujam no meio de toda a confusão. No dia em que há feira, a desordem é ainda maior: as barracas são armadas na calçada e os barraqueiros quase nos entram pela casa adentro com suas mangas e bananas. Não agüento viver nem mais um dia com esse barulho e essa confusão sob minha janela.

Infinitivo pessoal

(Páginas 254 e 255)

A. **Passe as sentenças para o plural:**

2. Eles insistiram para os irmãos ficarem.
3. Eles disseram para vocês telefonarem.
4. Nós pedimos para eles chegarem logo.
5. Elas sempre pedem para nós ajudarmos.
6. Os professores pediram para os alunos ficarem quietos.
7. Elas explicaram de novo para eles compreenderem.
8. As meninas deram as bonecas para nós guardarmos.
9. Os ônibus pararam para os passageiros descerem.
10. Os carros pararam para nós passarmos.
11. Eles deram a festa para se despedirem.
12. Elas choraram por estarem tristes.
13. Nós rimos por estarmos alegres.
14. Não fomos ao escritório por estarmos resfriados.
15. Eles sentaram por estarem cansados.
16. Nós tomamos um táxi por estarmos atrasadas.
17. Elas insistiram por serem teimosas.
18. Nós estivemos lá sem sermos vistos.
19. Vimos o acidente sem podermos ajudar.
20. Nós saímos sem nos despedirmos.
21. Eles foram embora sem olharem para trás.
22. Antes de irem para casa, eles foram ao dentista.
23. Vocês podem ir para casa depois de falarem com eles.
24. Apaguem a luz antes de se deitarem.
25. Nós nunca desligamos a televisão antes de nos deitarmos.
26. Elas não conheciam nada do Brasil antes de virem para cá.
27. Eles insistiram para nós aceitarmos.

28. Trancamos as portas por estarmos com medo.
29. Elas mudaram de idéia sem darem satisfação para ninguém.
30. Antes de fecharem o negócio, conversem com o João.

Regência

(Páginas 256 a 258)

A. Complete com a preposição adequada:

1. a; 2. a; 3. em; 4. de; 5. de; 6. de/a; 7. de; 8. de; 9. de/a; 10. de.

B. Complete com a preposição adequada:

1. de; 2. nele; 3. por; 4. com; 5. a; 6. com; 7. com/sobre; 8. de; 9. da/dos; 10. com.

C. Complete com a preposição adequada:

1. por; 2. a; 3. com; 4. à; 5. a; 6. de; 7. a/a; 8. em; 9. com; 10. para/a.

D. Complete com preposição, se necessário:

Depois que Marta aprendeu a falar inglês e francês, achou que estava apta a trabalhar. Decidiu arranjar um emprego. Estava ansiosa por ganhar seu próprio dinheiro. Ela não queria nem pensar em trabalhar num escritório. Ela não gostava de ficar horas e horas sentada numa sala fechada batendo relatórios. Ela sonhava com um trabalho sem rotina e morria de medo de não o encontrar. Então ela começou a ler anúncios de jornal. Como os anúncios eram muitos, Marta pediu a Mônica, sua irmão, para ajudar. Mônica ajudou Marta a selecionar os anúncios mais interessantes. Às vezes Mônica ficava cansada da tarefa e reclamava. Marta tentava compreendê-la.

Símiles

(Página 260)

A. Complete as frases com símiles:

1. e dormiu como uma pedra.
2. está magra como um palito.
3. escura como breu.
4. rápido como um raio.
5. surdo como uma porta.
6. estava tremendo como vara verde.
7. está pesada como chumbo.
8. feio como o diabo.
9. certo como dois e dois são quatro.
10. pretas como carvão.

B. Respostas pessoais

Texto narrativo: "A imigração e o povoamento do sul do Brasil"

(Página 261)

A. Responda:

1. A possibilidade de tornarem-se pequenos proprietários.
2. Era italianos e alemães. Os italianos dedicaram-se à cultura da uva e produção do vinho e os alemães a pequenas indústrias e à lavoura.
3. Os alemães. Estes fundaram aí cidades importantes, como Blumenau e Joinville, e estabeleceram grandes centros comerciais e industriais.
4. É uma região de sítios e chácaras dedicadas à horticultura, situadas nos arredores de São Paulo e responsáveis pelo abastecimento da população da Grande São Paulo.
5. Para o Paraná imigraram eslavos, principalmente poloneses, ucranianos e russos brancos.
6. Os imigrantes registrados como turcos eram, na realidade, sírios-libaneses. A sua chegada, eram registrados como turcos porque a Síria e o Líbano, naquela ocasião, estavam sob domínio da Turquia.
7. Os portugueses vieram para o Brasil desde o início de nossa história. Eles constituem o grupo de imigrantes mais numeroso no Brasil.
8. Resposta do aluno.

Respostas dos testes
do caderno de testes

Teste 1

Unidades 1 e 2

(Páginas 1 a 4)

A. Responda:

1. Ele está na sala do diretor.
2. Ele é de Ouro Preto.
3. Ele mora na Avenida Paulista.
4. Tenho, sim. Estão na gaveta.
5. Ele está falando com a secretária.
6. Eu não vou de carro. Eu vou de ônibus.
7. Não, eu não vou a pé. Vou de táxi.
8. O correio é ali na esquina.
9. É no subúrbio.
10. Eu trabalho no centro.

B. Complete:

1. alto / baixa
2. tem / têm
3. muito / pouco
4. comendo / bebendo, tomando
5. a pé / cinema

C. Complete:

de — em — de — no — da — De — de — para — a — de — com — em — de — para — na — do(de) — da(de) — dos(de).

D. Complete o diálogo:

— O Sr. Oliveira está?
— E Lúcia está?
— Onde ela está, por favor?
— Telefono mais tarde.
— Obrigado. Até-logo.

E. Coloque em ordem:

— Quero comprar um carro e ir para o interior.
— Para o interior? Você não gosta de morar nesta cidade?
— Não, não gosto de cidade grande. E você?
— Eu gosto. Venha. Vamos entrar nesta loja. Você gosta desses carros?
— Não, não gosto deles. São muito velhos. Há outra loja ali na esquina. Vamos lá?
— Vamos. Ela vende carros novos?
— Vende.

F. Passe para o presente contínuo:

1. Eu estou falando com o diretor.
2. Nós estamos conversando com elas.
3. Eles estão vendendo carros.
4. Você está trabalhando muito.
5. Estas moças estão comendo pouco.
6. O senhor está escrevendo para um amigo em Londres.

G. Complete:

1. vou
2. estamos
3. são
4. fala
5. compra / vende
6. come
7. como
8. vão
9. anda / é
10. temos / têm
11. vai / pára
12. vai
13. tenho
14. trabalham / gostam
15. estou
16. aprendendo

H. Complete com: meu, minha, meus, minhas, nosso, nossa, nossas.

1. meus / minhas
2. nossos
3. meu
4. nossa / nosso
5. nossa
6. meu / minha
7. nossos / nossas

Teste 2
Unidades 3 e 4

(Páginas 5 a 8)

A. Complete a carta:

São Paulo, 19 de dezembro de 198...

Caro João

Estou agora em São Paulo. Mudei para cá em setembro. Moro no Morumbi e trabalho no centro. Sou gerente de vendas de uma companhia de engenharia. Vou ao escritório às 8 horas da manhã. Vou sempre de carro porque minha casa é longe do centro.

Não posso visitar você agora porque tenho muito trabalho no escritório. Só vou poder visitar você nas férias.

Espero notícias.

Um abraço

Pedro

B. Complete:

1. a. viajo
   b. viajei
   c. estou viajando
   d. vou viajar
2. a. cortamos
   b. cortamos
   c. estamos cortando
   d. vamos cortar
3. a. recebe
   b. recebeu
   c. está recebendo
   d. vai receber
4. a. escrevem
   b. escreveram
   c. estão escrevendo
   d. vão escrever
5. a. vendi / comprei
   b. conheceram
   c. convidamos / recebemos
   d. está telefonando
6. a. têm / temos
   b. posso / pode
   c. quer / queremos
   d. prefiro / prefere

C. Responda com meu, minha, seu, sua etc.:

1. Meus irmãos estão na escola.
2. Suas chaves estão na gaveta da mesa.
3. Não, (eu) não vou sair com meu carro.
4. Nossos (seus) documentos estão no bolso do paletó.
5. Sim, a casa deles é grande.
   Não, a casa deles não é grande.
6. Não, o pai dela não é muito velho.
7. Estou, sim. Eu estou com seus documentos.
   Não, eu não estou com seus documentos.

D. Complete com ser ou estar:

1. estou
2. são / estão
3. está
4. está / é
5. está

E. Complete as lacunas do texto:

de — para — da — de(dos) — em — da — do — do — do

F. Passe para o plural:

1. Este meses são frios.
2. Os trens modernos são velozes.
3. Os restaurantes destas estações são bons.
4. Os irmãos deles querem viajar em aviões comerciais.
5. Nossas organizações têm escritórios nas ruas principais das cidades.
6. Nós trabalhamos nos andares superiores.

G. Descreva este apartamento:

Este apartamento é grande. Na parte social, ele tem um hall social, um vestíbulo, um living com terraço, uma sala de jantar ou escritório e um lavabo. Na parte íntima, ele tem uma suíte, dois dormitórios e um banheiro. Os dormitórios têm armários embutidos. Na parte de serviço, o apartamento tem uma copa-cozinha, uma área de serviço e um dormitório de empregada com W.C.

Teste 3

Unidades 5 e 6

(Páginas 9 a 12)

A. Faça uma redação — Meu país:

Sugestão

Eu sou dos Estados Unidos. Meu país fica na América do Norte e sua capital é Washington D.C. O maior rio dos Estados Unidos é o Mississipi.
A história de meu país não é muito antiga porque os Estados Unidos são uma nação jovem.
A bandeira americana é azul, vermelha e branca.
Os americanos são, geralmente, altos, fortes e ativos.

B. Complete:

1. a. queremos
   b. quisemos
   c. estamos querendo
   d. vamos querer

2. a. vejo
   b. vi
   c. estou vendo
   d. vou ver

3. a. pode
   b. pôde
   c. está podendo
   d. vai poder

4. a. olham
   b. olharam
   c. estão olhando
   d. vão olhar

5. a. vai
   b. foi
   c. está indo

6. a. reúne
   b. reuniu
   c. está reunindo
   d. vai reunir

7. a. é
   b. foi
   c. está
   d. esteve

8. a. tenho
   b. tive
   c. vou conhecer
   d. conheci

9. a. estão abrindo
   b. está partindo
   c. estão vivendo
   d. está trocando
   e. estou aprendendo
   f. estamos indo
   g. está tendo

C. Complete:

1. isoladas / distantes
2. famosas / inconfundíveis
3. loiros / azuis
4. marrom / verde / elegantes
5. amáveis / corteses
6. velhas / jovens / comuns
7. boa / confortável / simples
8. má / mau
9. espiãs internacionais
10. rapazes / cartões postais

D. Complete com por, pelo, pela, pelos, pelas:

por — pelo — pelas — pela — pelos

E. Complete com à, às, ao, aos:

1. ao
2. à / ao
3. ao
4. às
5. aos

F. Complete com as formas correspondentes dos pronomes:

1. nos
2. me
3. no
4. o
5. lo
6. las
7. na
8. las
9. as
10. me
11. no
12. os
13. na
14. a
15. na

G. Dê a forma negativa (nem... nem)

1. Elas não gostaram do filme nem do artista.
   Elas não gostaram nem do filme nem do artista.
2. O professor não quer os exercícios nem a leitura para 2.ª feira.
   O professor não quer nem os exercícios nem a leitura para 2.ª feira.
3. As crianças não foram ao circo nem ao cinema.
   As crianças não foram nem ao circo nem ao cinema.

H. Preencha os cheques:

Cr$ 115,50
Cento e quinze cruzeiros e cinqüenta centavos
São Paulo, 15 de março de 1983

Cr$ 3.117,35
Três mil cento e dezessete cruzeiros e trinta e cinco centavos
Rio de Janeiro, 10 de maio de 1983

Cr$ 2.020,80
Dois mil e vinte cruzeiros e oitenta centavos
Porto Alegre, 25 de agosto de 1983

Cr$ 345,50
Trezentos e quarenta e cinco cruzeiros e cinqüenta centavos
Recife, 10 de novembro de 1983

Teste 4

Unidades 7 e 8

(Páginas 13 a 16)

A. a. Ouça a leitura com atenção.*

b. Agora destaque as idéias principais do texto.

As máquinas antigas eram melhores que as máquinas modernas. Compradas sempre a vista, elas trabalhavam anos sem trazer problemas. As máquinas modernas duram pouco. Muitas vezes, depois de pouco tempo de trabalho, elas quebram e não têm conserto.

B. Complete:

1. gostávamos
2. vão ter
3. está abrindo
4. compraram / deram
5. traz (trazia) / vem (vinha)
6. quer / prefiro
7. pude
8. era / tinha
9. era / estava
10. soube / deu
11. foram / viram
12. vou fazer / trazê-lo
13. disseram / puseram
14. está dizendo / posso
15. trabalhávamos / íamos
16. ficava / prefere
17. está andando / quer
18. estudava / assistia / comia
19. tocou / estava pondo (punha)
20. estava escrevendo (escrevia) / apagou.

C. a. Complete o quadro com o comparativo de um adjetivo de sua escolha:

Sugestões

1. mais bonitas
2. menos variados
3. maiores
4. mais agradáveis
5. tão importante
6. tão interessante

C. b. Complete com o comparativo dos adjetivos indicados:

1. melhor
2. maior
3. pior
4. menor

---

* Se você não tiver as fitas, leia o texto que se encontra no fim deste livro

D. Complete com o pronome adequado:

1. nos
2. o
3. o
4. nas
5. los
6. lo
7. lo
8. me
9. a
10. o

E. Complete com os pronomes adequados:

1. comigo
2. conosco
3. mim
4. mim
5. mim
6. conosco
7. ele
8. eles
9. vocês
10. nós

F. Complete o diálogo:

D. Vera — Onde fica o departamento de utilidades domésticas?
D. Vera — Obrigada.
D. Vera — O senhor tem máquinas de lavar pratos?
D. Vera — O que ela faz?
D. Vera — E é econômica?
D. Vera — Seu funcionamento é complicado?
D. Vera — Vocês dão garantia?
D. Vera — Veja! A máquina está pulando!

G. Certo ou errado?

1. C
2. E
3. E
4. C
5. E
6. E
7. E
8. E
9. E
10. C
11. E
12. C
13. E
14. C
15. E
16. E
17. C
18. C
19. E
20. E

Teste 5

Unidades 9 e 10

(Páginas 17 a 22)

A. Observe os quadros e conte a estória, empregando ou não o diálogo.

José queria comprar um carro.
Às dez horas da manhã, ele foi a um revendedor.
O vendedor mostrou-lhe um carro novo, mas José não o comprou porque era muito caro.
O vendedor mostrou-lhe, então, um carro usado. José decidiu comprá-lo. Muito contente, ele saiu da loja dirigindo-o. Ao meio-dia, o pneu furou.
Muito bravo, José desceu do carro e trocou o pneu. Às duas horas, o carro parou e José examinou o motor, tentou consertá-lo, mas não conseguiu.
— Vou precisar empurrá-lo! — disse furioso.
Com grande esforço, José empurrou o carro até a oficina mais próxima.
Às quatro horas, o carro ficou pronto.
O mecânico entregou-lhe, então, a conta.
José não podia acreditar.
— Por este preço eu posso comprar um carro novo!

B. Preencha as lacunas com algum, alguns, alguma, algumas, nenhum, nenhuma, alguém, ninguém, nada.

nenhum — ninguém — alguns — alguém — algumas — nada — algum

C. Passe as orações para a forma negativa, empregando nenhum, nenhuma, ninguém, nada.

1. Não há nenhum livro na mesa.
2. Parece que não há ninguém na sala.
3. Não queremos comer nada.
4. Não há mais nenhuma chance de achar o carro.
5. Ele não tem nenhum dinheiro guardado.
6. Eles não disseram nada importante.

D. Complete usando o presente:

1. trabalho / durmo
2. trabalham / dormem
3. sinto / ouço
4. sentem / ouvem
5. prefiro / prefere
6. diverte-se
7. me divirto
8. subo
9. sobe / desce
10. sobem / se sentem
11. me sinto / subo
12. cobrem-se / me cubro
13. sinto / posso

E. Complete:

1. vestiu-se
2. vou servir (servirei)
3. estava dormindo (dormia)
4. sentia
5. viu / estava cobrindo, cobriu
6. ouvia / havia
7. subi / encontrei
8. peço / faço
9. vamos fazer (faremos) — vai divertir-se (se divertirá)
10. dormi / me sinto (estou me sentindo)

F. Passe para o futuro:

1. Eu direi a verdade.
2. Vocês dirão tudo a ela.
3. Estas crianças farão muito barulho.
4. O senhor fará este trabalho?
5. O jornaleiro não trará o jornal em casa.
6. Eu não trarei meu carro aqui.
7. Eles nunca dirão a verdade.
8. Elas não farão nunca esta receita.
9. Você trará seu filho aqui algum dia?
10. Você dirá a ele para vir amanhã.

G. Complete com o pronome:

1. me
2. se
3. se
4. nos
5. se
6. nos / se
7. nos
8. se / se
9. nos
10. se

H. Faça sentenças usando o superlativo:

Sugestões

1. Nova York é a maior cidade dos Estados Unidos.
2. Comprei o relógio mais caro desta joalheria.
3. O Uruguai é o menor país da América do Sul.
4. A Monalisa é o quadro mais famoso do Louvre.
5. Eles vendem os piores artigos do mercado.
6. O Volkswagen é o carro mais popular do mundo.
7. Quero ler o melhor jornal deste país.

I. Transforme as orações:

1. Esta companhia é moderníssima.
2. Ele só se interessa por carros caríssimos.
3. Você teve uma idéia péssima.
4. Ele é um médico ocupadíssimo, mas sempre tem tempo para conversar com os amigos.

5. O professor fez uma pergunta dificílima.
6. Ele diz que é facílimo ficar rico.
7. Foi uma festa agradabilíssima.
8. Você cozinha muito bem. O jantar estava ótimo.

J. a. Passe para o diminutivo:

1. bonitinho
2. cadeirinha
3. finzinho
4. hotelzinho
5. solzinho

J. b. Faça 5 orações com os diminutivos anteriores, dando a cada uma o sentido indicado:

Sugestões

1. Você é muito bonitinha.
2. Comprei uma cadeirinha.
3. Li o livro até o finzinho.
4. Mas que hotelzinho horrível!
5. O solzinho hoje está bom.

L. Diga de outro modo:

1. Não estou me sentindo bem. Tenho de (Tenho que) ir para casa.
2. Ele tem de (tem que) pensar antes de falar.
3. Eu não consegui ver direito o rosto do ladrão porque ele saiu correndo. Eu mal pude ver o rosto...
4. Elas não conseguem explicar direito o que aconteceu porque estão muito nervosos. Eles mal podem explicar...

M. Você queria despedir-se (...). Conte, em algumas linhas (...)

Eu soube que Marcos ia partir hoje, no trem das 5. Resolvi, então, fazer-lhe uma surpresa indo à estação para despedir-me dele. Para evitar atrasos, saí de casa às 4.
Mas veja o que aconteceu. A estação, muito antiga, fica numa rua estreita bem no centro. É proibido estacionar nessa rua. Ali perto estão construindo o metrô. Tudo por ali está numa grande confusão. Seguindo a direção indicada nas placas, consegui chegar perto da estação. Mas a rua não dava mão. Tentei estacionar o carro, mas todos os estacionamentos estavam lotados. Fiz, então uma conversão à esquerda e cheguei a uma rua de mão única. Segui por ela e acabei chegando à Liberdade, longe da estação. Já eram cinco horas. Cansado e com raiva, voltei para casa.

Teste 6

Unidades 11 e 12

(Páginas 23 a 26)

A. Compreensão oral *

1. errado
2. certo
3. errado
4. errado
5. certo
6. certo

B. Complete os diálogos com os pronomes indefinidos cada, vários(as), outro(a, os, as), qualquer:

a. várias — qualquer — cada — outra
b. outra — várias — cada — qualquer

C. Complete com o Particípio:

1. trabalhado
2. vendido
3. subido
4. escrito
5. visto
6. aberto
7. gasto
8. vindo
9. dito
10. feito

D. Passe para o Mais-Que-Perfeito da forma simples para a forma composta:

1. tinha entrado
2. tinha achado
3. tinha posto
4. tinha resolvido
5. tinha encontrado
6. tinha comido
7. tinha bebido

E. Transforme, usando o Subjuntivo:

1. Eles preferem que eu volte mais tarde.
2. Ela exige que nós façamos ginástica.
3. Eu peço que ela fique sempre comigo.
4. Tomara que ela chegue cedo.
5. Talvez ele não dirija bem.
6. É pena que ela esqueça os velhos amigos.
7. Eu duvido que ele se sinta feliz.
8. Nós não achamos que ele tenha razão.
9. Eu tenho medo que ele parta zangado.
10. Peço que você nos ajude.

F. Presente do Indicativo ou Presente do Subjuntivo?

sei — acompanhe — tem — é — possa — tenho — aumente — tenha — diga — devo — considero — pense — responda.

---

* Se você não tiver as fitas, leia o texto que se encontra no fim deste livro.

G. Responda, empregando o subjuntivo:
Sugestões

1. Eu quero que você me ajude.
2. Não, eu não acho que ele venha.
3. Eu prefiro que você volte depois.
4. Tenho medo que eles descubram a verdade.

H. Complete com os pronomes relativos que, quem, onde, cujo(o, os, as):

1. que
2. que
3. cujo
4. onde
5. onde
6. cujas
7. que
8. quem
9. quem
10. cujos
11. cujos
12. onde / quem

I. Complete com o qual, os quais, as quais:

1. a qual
2. no qual
3. os quais
4. das quais
5. na qual

Teste 7

Unidades 13 e 14

(Páginas 27 a 30)

A. Complete esta carta seguindo a sugestões à esquerda:

quisesse escrever antes / a ajudasse a fazer compras e a preparar seu apartamento / Lúcia não ficasse nervosa / o problema de Otávio fosse (pudesse ser) grave / saísse da cama / recebesse visitas / me desculpe / mande notícias / possa passar alguns dias em nossa casa

B. Una as duas orações. Use que. Comece com os verbos de desejo, ordem, etc.

1. É possível que no próximo mês cheguem nossas encomendas.
2. Nós esperamos que no próximo mês haja muitas comemorações.
3. Foi possível que eles entregassem o projeto a tempo.
4. É aconselhável que todos digam a verdade.
5. Os cientistas não acreditam que possa existir uma forma de vida no planeta Marte.
6. O capitão do time não duvidava de que ele tivesse toda chance de vencer.
7. Você permite que sua filha venha passar o fim de semana conosco?

C. Complete as orações com as seguintes conjunções: até que, mesmo que, antes que, a fim de que, embora. Coloque os verbos indicados no Presente ou no Imperfeito do Subjuntivo:

1. Embora tivesse boas recomendações, ele não conseguiu o lugar.
2. Num país tropical, ela não poderia usar um casaco de peles mesmo que fosse inverno.
3. Ele vai falar bem alto para que todos possam ouvi-lo.
4. Você deveria resolver este problema antes que os convidados chegassem.
5. Vou continuar trabalhando neste projeto até que tudo esteja terminado.

D. Complete as orações com os verbos indicados no Futuro do Pretérito:

1. faria
2. diriam / diríamos
3. poriam / poríamos
4. poderia
5. escolheriam / escolheríamos

E. Responda

(Sugestões)

1. Eu gostaria de ir ao clube.
2. Eu compraria um apartamento.
3. Eu faria a mesma coisa.

F. Nas frases seguintes, substitua os advérbios grifados por expressões equivalentes:

1. Ela recebeu-nos com alegria.
2. Eles vivem com economia.
3. Todos saíram com pressa (às pressas, depressa) do escritório.
4. A empregada bateu de leve na porta.
5. Os candidatos devem ler as instruções com atenção.

G. Baseando-se no seguinte modelo: "Para emagrecer é preciso comer pouco e andar muito", faça orações opondo os advérbios:

Sugestões

1. Ele fala bem e escreve mal.
2. Eu deixei o carro fora e trouxe as compras para dentro.
3. De longe ela parecia bonita, mas de perto vi que era feia.
4. Hoje vou sair mas ficarei em casa amanhã.

H. Substitua as seguintes expressões pelos advérbios equivalentes e faça frases com cada um:

1. amigavelmente. Eles se separaram amigavelmente.
2. parcialmente. Eu fiz o trabalho parcialmente.
3. anualmente. Ele vai à Europa anualmente.
4. imediatamente. Eu quero falar com ele imediatamente.
5. pacientemente. Ele me ouviu pacientemente.

I. Retome as orações exprimindo as idéias de outra forma. Empregue expressões com verbos dar, morrer de , fazer:

1. Estou morrendo de raiva.
2. Não dá para esperar.
3. Dê-lhe uma colher de chá. Ele é um bom funcionário.
4. Morremos de pena do pobre homem.

J. Faça sentenças com:

Sugestões

1. Ele fez de conta que não me tinha visto.
2. Meus planos não deram certo.
3. Tanto faz. Qualquer um serve.
4. Eu faço questão de trabalhar bem.
5. Você fez seguro de vida?

L. Transforme estas ordens em pedidos. Use o Futuro do Pretérito:

1. a) Você poderia contar-me o que aconteceu?
   b) Será que você poderia contar-me o que aconteceu?
2. a) Você poderia mostrar-me outro?
   b) Será que você poderia mostrar-me outro?
3. a) Você poderia repetir o número?
   b) Será que você poderia repetir o número?
4. a) Você poderia marcar uma hora para mim?
   b) Será que você poderia marcar uma hora para mim?
5. a) Vocês poderiam fechar a porta?
   b) Será que vocês poderiam fechar a porta?

Teste 8

Unidades 15 e 16

(Páginas 31 a 35)

A. Leia com atenção a receita e substitua as formas verbais sublinhadas pelo Imperativo.

limpe — aqueça — refogue — junte — deixe — ponha — cubra — tampe — diminua — acrescente — coloque — adicione — vá — sirva.

B. Complete com as preposições adequadas:

1. anel de ouro
   cafe com leite
   chá com limão
   ouro em pó
   casa de pedra
2. fogão a gás
   escrever a lápis
   bater a porta com raiva
   ir para casa
   ficar em casa
3. pedir por favor
   olhar pela janela
   sair pela porta principal
   pensar em alguém
   pensar no melhor amigo
4. sair à noite
   dormir até o meio-dia
   andar com cuidado
   deixar para o dia seguinte
   comprar por cem cruzeiros
5. colocar sobre a mesa
   trabalhar das oito às cinco
   convidar todo mundo menos João (exceto João)
   pagar conforme o contrato
   estar entre a vida e a morte
6. dormir durante a conferência
   fazer o trabalho em duas horas
   ler em voz baixa
   falar sem pensar
   lutar contra o inimigo
7. passear com Luísa
   morrer de rir
   de 8 de abril a 15 de maio
   procurar embaixo da mesa
   Até breve!
8. ficar em pé
   ir a pé
   viajar de avião
   ir a Santos
   ir à França

C. Complete com o verbo no tempo adequado:

1. substitui / destrói
2. valha / caiba
3. passeemos
4. odeio
5. copia
6. semeie / perca
7. odiava / odeio
8. meçamos
9. mede
10. Meça

D. Complete com o verbo indicado no Futuro do Subjuntivo:

1. tiverem
2. ficarmos
3. perder
4. estiver
5. preferirem
6. estivermos
7. houver
8. encontrar
9. virem
10. quiser
11. puderem
12. trouxerem
13. for
14. houver

E. Complete o texto abaixo com os seguintes verbos no tempo conveniente: começar, querer, poder, ficar, conseguir.

começarmos a — quisermos — possa — ficarmos — conseguiremos

F. Reescreva o texto acima e faça as modificações necessárias.

Se nós começássemos a trabalhar, ganharíamos nosso próprio dinheiro. Assim, sempre que quiséssemos, poderíamos gastá-lo sem que ninguém pudesse achar ruim. Também, se ficássemos ricos, seria por nosso próprio esforço. Será que conseguiríamos?

G. Reescreva o texto abaixo, substituindo as palavras grifadas por um pronome. Coloque o pronome corretamente na oração:

— Você conhece o novo carro da Companhia?
Vão expô-lo para o público amanhã.
— Não, não o vi. Ninguém o conhece ainda, além dos diretores.
— Colocá-lo-ão numa vitrina e darão um coquetel para lançá-lo.
— Mas seu preço deve ser altíssimo.
Disseram-lhe o valor dele?
— Não, ainda não. Venha comigo. Mostrar-lhe-ei o lugar da exposição. Quem o viu garante o sucesso do lançamento.

H. Responda de acordo com os textos lidos:

Natal

1. O autor se sentia bem assim sozinho e melancólico, na casa quieta e cômoda.
2. Era uma casa confortável, com um jardinzinho cheio de folhagens e flores.
3. O lixeiro veio quebrar o silêncio daquela noite de Natal. Ele queria ver a mulata da casa ao lado.

Carnaval

4. Todo tipo de gente participa dos desfiles das escolas de samba: operários, estudantes, costureiras, cozinheiras, desocupados, comerciários e outros.

5. Porque, durante os três dias que dura o Carnaval, pessoas pobres se transformam em reis, rainhas, generais, damas antigas, no meio de muito cetim, plumas e lantejoulas. É um mundo de sonho.

O Brasil do café e da cana

6. Porque do pau-brasil se extraía uma tinta vermelha muito utilizada na indústria têxtil européia do século XVI.
7. A casa-grande era a residência do senhor de engenho. Era uma construção muito sólida e espaçosa.
8. A senzala, a habitação dos escravos, tinha, geralmente, uma única peça, onde se amontoavam todos, sem distinção de sexo e de idade.
9. Porque sua vida no engenho era muito difícil e dura.
10. Porque os escravos eram a mão-de-obra do engenho. Eles executavam todas as tarefas para a produção do açúcar. O senhor do engenho dependia totalmente deles.

Teste 9

Unidades 17 e 18

(Páginas 36 a 43)

I. Compreensão oral: *

1. Nino é o filho de D. Bianca e de Natale.
2. Natale conseguiu fazer um bom negócio
3. Porque estava muito contente.
4. Porque sentia que logo ficaria rica.

II. Compreensão escrita.

A. 1. O narrador sabe que a empregadinha trabalha no prédio.
2. A empregadinha é uma pessoa cordial.
3. A linguagem da empregadinha é típica de um grupo.

B. Diga de outra forma:

1. A empregadinha que não conheço bem / que só vejo mas com quem nunca falei.
2. ... num dos apartamentos que ficam nos andares mais baixos.
3. ... já me dera a honra de um cumprimento.
4. linguagem usada pelo povo, em conversas.

C. Procure no texto expressões equivalentes a:

1. em absoluto
2. deu-me a honra de uma despedida
3. ele respondeu como um eco

D. Em poucas linhas, dê também sua opinião sobre a atitude da empregadinha.

(Resposta pessoal.)

III. Gramática

A. Responda, usando tempos compostos do Indicativo (tenho falado, teria falado, terei falado):
Sugestões

1. Eu tenho levantado cedo.
Eu tenho almoçado fora.
Eu tenho conhecido muita gente.
Eu tenho trabalhado muito.
Eu tenho ganho dinheiro.

---

* Se você não tiver as fitas, leia o texto que se encontra no fim deste livro.

2. Eu teria ficado em casa.
   Eu teria ido ao cinema.
   Eu teria visitado amigos.
   Eu teria dormido o dia inteiro.
   Eu teria lido um romance.
3. Ele terá tomado o avião.
   Ele terá descido do avião.
   Ele terá passado pela Alfândega.
   Ele terá ido para o hotel.
   Ele terá descansado a tarde toda.

B. Complete as orações com tempos compostos do Subjuntivo (tenha falado, tivesse falado, tiver falando):

1. tenha conseguido
2. tivesse contado
3. tiver chegado
4. tivéssemos sido
5. tiver terminado
6. tenham feito
7. tivermos recebido
8. tenha lido
9. tivesse insistido
10. tiver acabado
11. tenha chegado
12. tivesse chovido
13. tivéssemos esperado
14. tiver deixado
15. tenha visto

C. Passe o diálogo para o discurso indireto:

Amaro desceu a escada, sem ruído, disse bom-dia e sentou-se à mesa. Tia Zina quis saber se ele queria chá ou café. Amaro respondeu que queria chá. O major, só para conversar, perguntou a Amaro se ele sempre preferia chá. Amaro disse que às vezes preferia chá. O major declarou, então, que o chá, como auxiliar da digestão, era recomendado por grande número de médicos e que, quanto ao café, os entendidos diziam que estimulava as faculdades mentais. Sugeriu, então, a Amaro que pedisse café, como intelectual que era.

D. Passe as frases para o plural:

1. Depois de saírem, fechem a porta.
2. Eles pediram para nós termos paciência.
3. Elas telefonaram por estarem com saudade.
4. Vimos tudo sem sermos vistos.
5. Devolvemos o livro sem o termos lido.
6. Digam-lhes para ficarem mais um pouco.
7. As moças pediram para nós ajudarmos.
8. Eles desistiram por serem impacientes.
9. Antes de resolverem o problema, pensem um pouco.
10. Reunimos todo mundo para discutirmos o negócio.

E. Passe para a voz passiva:

1. Um prédio alto foi construído na minha esquina.
2. Muitas perguntas serão feitas pela polícia.
3. Muito dinheiro foi gasto por José para organizar a fazenda.
4. A notícia já tinha sido dada por ela quando eu telefonei.
5. Tudo é feito com calma por ela.
6. Se necessário, mais entradas serão compradas por mim.
7. Antigamente, tudo era comprado a vista por nós.
8. Quero que o prejuízo seja pago por você.
9. Avise-nos quando a chave for encontrada.
10. Todos nós ficaríamos satisfeitos se o ladrão fosse encontrado pela polícia.
11. Meu problema não poderá ser resolvido por ninguém.
12. O trabalho deve ser feito com mais atenção por vocês.
13. Um apartamento maior precisa ser alugado por ele.
14. Nossas passagens têm de ser compradas hoje por nós.
15. Eu tenho que ser ouvido por ele.

F. Passe para a voz passiva com se:

1. Venderam-se todos os livros.
2. Contratou-se um novo engenheiro ontem.
3. Perde-se muito tempo com discussões inúteis.
4. Consertam-se máquinas de lavar roupa aqui.
5. Pediram-se informações ao banco.
6. Aumentou-se nosso salário.
7. Gratificam-se os bons funcionários no fim do ano.
8. Atendem-se vendedores das 8 às 10.
9. Não se aceitam cheques.
10. Aluga-se um apartamento para férias em Cabo Frio.

G. Complete com a preposição adequada, quando necessário:

1. deste	6. —	11. do	16. a
2. de	7. —	12. de / do	17. de / a
3. a	8. de	13. em / a	18. por / em
4. — / com	9. a	14. ao	19. de
5. em	10. de / a	15. de / —	20. com

H. Diga de outra forma:

1. Não tive nenhuma dificuldade para falar com o Presidente.
2. Quando tivermos resolvido os detalhes (Quando os detalhes tiverem sido resolvidos), poderemos começar o trabalho.
3. Ela parou de insistir quando percebeu que não mudaríamos de idéia.

4. Ninguém telefonou.
5. Se você tivesse tido um pouco mais de paciência, teria terminado o quebra-cabeças.
6. Pare de falar nisso!
7. Procure-me / Venha procurar-me / Não se esqueça de procurar-me quando vier a Recife.
8. Quando o menino perder (tiver perdido) o medo, se sentirá (sentir-se-á) em casa.
9. Se tivéssemos ido de ônibus, ainda não teríamos chegado.
10. Se você for de trem, você chegará mais descansado.

Textos para os testes de compreensão oral

Teste 4

Unidades 7 e 8

(Teste A.a e A.b)

Antigamente as máquinas de lavar roupa eram melhores do que as máquinas modernas. Nós íamos à loja e conversávamos com o vendedor. Ele nos dava todas as informações que queríamos. Depois, escolhíamos a máquina mais interessante. Pagávamos sempre a vista. A máquina chegava à nossa casa no dia seguinte e começava a trabalhar, trabalhar, trabalhar. Trabalhava dez, quinze anos sem quebrar, sem nos trazer problemas. Hoje em dia é diferente. Compramos uma máquina de lavar e, antes de pagarmos a última prestação, já estamos pensando em comprar outra. As máquinas modernas são complicadas e têm vida curta. Depois de dois anos de trabalho, elas, muitas vezes, não têm mais conserto.

Teste 6

Unidades 11 e 12

(Teste A)

Morumbi — espetáculo à altura do público

O Morumbi é o maior estádio de futebol de São Paulo. Quando há jogos de final de campeonato, não só os jogadores no gramado, mas também o público apresentam espetáculos surpreendentes. Todos os lugares ficam ocupados e, no meio de muito barulho e muita alegria, centenas de bandeiras, com as cores dos times, são agitadas para lá e para cá. Às vezes, porém, o espetáculo não é muito bom: os times jogam mal, não há gols, não há entusiasmo. Os torcedores, nessas ocasiões, saem tristes do estádio.

Ontem, porém, um domingo tão bonito, o Morumbi viveu uma tarde de glórias. Os dois times, com muita vontade de vencer, deram um espetáculo maravilhoso à altura do público que lá estava, com suas bandeiras, na maior alegria.

Teste 9

Unidades 17 e 18

(Teste I)

Dona Bianca pôs o Nino na caminha de ferro. Ele ficou com uma perna fora do cobertor.

Então o Natale entrou assobiando. A mulher olhou para ele. Percebeu tudo. Perguntou por perguntar:

— Conseguiu?

Natale segurou-a pelas orelhas, quase encostou o nariz no dela.

— Diga se tenho cara de bobo!

Contente da vida, deu um empurrão em Dona Bianca, virou-se, deu um soco na mesa, saiu e voltou com uma garrafa de vinho.

Dona Bianca deitou-se sem apagar a luz.

Olhou muito para o Nino, que dormia de boca aberta e fechou os olhos para se ver no palacete mais caro da avenida Paulista.

(Adaptado de Novelas Paulistanas — de Antônio de Alcântara Machado)